大學圖書館的
創新思維

劉吉軒 著

國立政治大學
創新與創造力研究中心
Center for Creativity and Innovation Studies

遠流出版公司

推薦序

打造「圖」、「書」合一的現代圖書館

　　好友劉吉軒教授完成了期待已久的書稿，命我寫序，欣然從命。

　　吉軒和我背景相似，我們都是在上個世紀進入計算機科學領域，又因緣際會在二十一世紀初分別擔任任職學校的圖書館館長，因此對於彼此的想法和處境，亦能感同身受。以往我們這兩所大學的館長，多由圖書資訊相關系所教師擔任，做為資訊科技出身的館長，一方面要面對外行領導內行的質疑；另一方面更深切體會到身處資訊革命時代，圖書館其實面臨巨大的衝擊和轉型壓力，必須要有所作為。這本頗具分量的專書，便是吉軒面對這一挑戰，多年來心力和思考的結晶。

　　在一般讀者的印象中，圖書館就是收藏很多很多書的地方。長久以來，我們似乎都忘記在「書」的前面，其實還有個「圖」字。中國古代一直有藏書的傳統，每個朝代、各個地方都有足以傲世的藏書樓，但卻沒有「圖書館」這個名稱。在西方，圖書館的英文是library，源自拉丁文的libraria，也就是「書店」（libre是書，所以在法文裡，librairie是書

店的意思）；而法文則是bibliothéque，來自希臘文，biblio（βιβλίου）是書，teke（τήκη）則是放東西的架子或屋子，似乎也沒有把圖和書合在一起的說法。

追溯起來，與很多近代名詞一樣，中文「圖書館」之稱其實是十九世紀從日本舶來的。日本在剛接觸西方文化的時候，用來翻譯 library 的名稱其實也不是圖書館，而是書籍館。三浦太郎在〈「書籍館」の誕生〉一文中指出，書籍館最早出現在 1860 年日本使節森田岡太郎的《亜行日記》中，用以描述紐約那時才興建不久的 Astor Library，其中強調所見到的四層鐵製書架及豐富的館藏量，在日本沒有見過。1872 年，文部省「東京書籍館」在湯島聖堂（就是東京孔廟）設立，「書籍館」一詞被正式用於機構名稱。然而 1862 年，日本使節前往大英博物館參觀（那時還沒有大英圖書館，後者是 1973 年才從大英博物館中分出），關於藏書的部分，除了提到書籍典藏和借覽的功能外，更特別指出地圖以及圖畫類藏品的陳列和開放閱覽。所以在明治初期，書籍館及圖書館兩種稱呼並存，然而圖書館的名稱漸漸普及，大部分公立 libraries 都採用圖書館的用法，甚至「東京書籍館」都於明治 13 年（1880）改名為「東京圖書館」。

近代西方的圖書館概念，經由日本為媒介引入中國，同樣經歷了兩種名稱並用、最後統一化的過程。根據政大的「中國近現代思想及文學

史專業數據庫（1830-1930）」，早在 1879 年王韜所著的《扶桑遊記》中，便提到在日本看到的書籍館；1896 年，梁啟超在上海創辦的《時務報》創刊號中，提到「泰西教育人才之道，計有三事：曰學校、曰新聞館、曰書籍館」。（而在同年 9 月第六期的〈古巴島略述〉一文，他則用了圖書館。）然而在 1902 年，清廷頒行「學堂章程」，其中正式提到「大學堂當附屬圖書館一所……設圖書館經營官」，由此以降，圖書館遂一統江山，而書籍館做為圖書館同義詞的用法在中國則銷聲匿跡了。

然而「圖書」這個名詞畢竟來自中國，雖然現在在大眾的觀念中似乎並沒有區分「圖書」和「書」，但圖書這兩個字在古代東亞地區的內涵，卻要比現代豐富得多。古籍中提到「圖書」的時候大多對應到《周易》中「河出圖，洛出書」的說法，而《漢書‧藝文志》則有一部《圖書祕記》放在天文家下面，但這書已經失傳，內容不可得知。《漢書》提到蕭何在進咸陽後「收秦丞相御史律令圖書藏之」，使得漢高祖「知天下阨塞，戶口多少，彊弱處，民所疾苦」，可見《漢書》中所謂的圖書除了書外還應有地圖、檔案、各種統計資料。唐代對圖書這個名詞使用的似乎很多，雖然沒有確切的界定，但常出現在文集甚至詩詞中，玄宗時甚至在祕書省下設了修圖書使（或圖書使）的官，但並沒有說它的執掌。相對的，日本在西元 701 年（文武天皇大寶元年，周武后時期）在中務省下設了圖書寮，它的執掌就很清楚，而且包山包海，除了書籍

管理外，還要管理佛像、佛經等，並負責提供文房四寶，或許這個古老的圖書寮的設置就是日本後來棄書籍館而就圖書館的原因之一吧。

南宋的鄭樵對「圖」與「書」的關係，作出了頗具歷史感的解釋，並闡釋了二者相互依存、互為表裡的關係。他在《通志》的總序裡說「河出圖，天地有自然之象，圖譜之學由此興矣。洛出書，天地有自然之文，書籍之學由此而出。圖成經，書成緯，一經一緯，錯綜而成文。古之學者，左圖右書，不可偏廢。」他認為因為劉向劉歆父子在編《七略》時只收書不收圖，而《漢書・藝文志》又是從《七略》編成，所以「自此以還，圖譜日亡，書籍日冗」，但是圖和書各有不同的功能，尤其「即圖而求易，即書而求難，捨易求難，成功者少」，所以難怪在圖譜之學不被重視後就「良材壞而後學困」了。所以鄭樵的《通志二十略》中不但有藝文略，也有圖譜略。而他覺得學術中需要用到的圖譜有天文、地理、宮室、器用、車旂、衣裳、壇兆、都邑、城築、田里、會計、法制、班爵、古今、名物、書（這裡指的是書寫文字和音韻）等十六種，包羅萬象，基本上除了抽象的哲學外，大概可以實證的學問都被包含在裡面了，而且說對這些學問而言，「有書無圖，不可用也」。他在《圖譜略》中詳細的說明了每一種圖譜為何重要，要如何使用。總體來說，「圖至約也，書至博也，即圖而求易，即書而求難。古之學者為學有要，置圖於左，置書於右，索象於圖，索理於書，故人亦易為學，學亦易為功」。

換句話說，在求知的過程中，有效的使用圖是一個掌握學問的竅門。

我一直認為鄭樵是一個具有科學意識，不拘泥形式而勇於創新的人。如果鄭樵活在二十一世紀，會用怎樣的說法來形容圖與書的區別呢？若用他的眼光重新審視現代「圖書館」，則一個圖書館應該不僅僅要提供充滿文字符號的書，更要提供視覺化的方法，幫助讀者掌握書中要傳達的知識。然而在鄭樵的時代，圖是靜態的，所以他的想像中也只有靜態的影像。現在的呈現就豐富多了，除了圖畫、列表（如年表）之外，還有照片、動畫、錄像、聲音、多媒體、甚至虛擬實境。凡是能夠用視覺呈現的方式，幫助我們取得知識和創造知識的做法，都可以被想像成「圖」的延伸。所以書和圖是知識的一體兩面，書提供的是文字的敘述，圖則是知識的視覺化呈現。

吉軒的書要傳達的，恰恰是使長久被忽視的視覺化的重新回歸，打造一個「圖」「書」合一的現代圖書館。本書第一篇，他便直截了當地點出現代圖書館的價值和困境。在他看來，圖書館的核心價值，在於館藏建置與館藏服務，並以政大圖書館為例，豐富的特藏資源便彌足珍貴，然而對於使用者來說，這部分可能恰是最難以親近的。因此在第二篇「創新突破」中，吉軒便透過自己在政大圖書館的經驗，細數了如何透過現代科技視覺化和讀者回饋，達到圖書館創新再造的目的；尤其用他在館長任內所做的眾多實例，來彰顯視覺化的展示和呈現，以及它們

對教育普及和知識傳播的效果。至此，他已經將現代圖書館圖（視覺化）與書（典藏）的結合，闡述得非常清楚。然而不僅如此，在第三篇「數位未來」中，吉軒更進一步的把圖書館知識傳播的責任，轉化成知識創造的角色。在學術研究服務上，他闡述大學圖書館是理想的數位人文平台，並且指出導入計算思維是大學圖書館轉型突破的一個關鍵。在本篇結尾，吉軒指出在未來世界中，數位創新將不斷的改造社會的結構，對圖書館而言，這是挑戰，更是機會。

在數位革命時代，臺灣的大學圖書館的使命任重而道遠，因為除了支援學校的學習和研究兩個基本任務外，它也有文化保存和社會教育的責任，所以圖書館的轉型和再造，是迫切而又重要的挑戰。我非圖資領域出身，在臺大圖書館任館長時，常為自己有這個機會而惶恐、感激又倍感壓力，一方面可以徜徉在無邊無際的知識海洋裡，何其幸福；另一方面又不斷思考如何透過數位科技，將大學圖書館的知識保存、知識傳播和知識創新這三個功能做得更好，何其緊迫。吉軒在做政大館長的時候，應該也有同樣的心緒和抱負吧。而他能夠在本書中如此流暢的結合自己的經驗和成就，並投射在圖書館事業發展的大格局上，令人感佩。特此為序。

項潔　2019 年 8 月 於國立臺灣大學
臺大數位人文研究中心主任
臺大圖書館前館長

推薦序
大學的知識心臟

　　值此二十一世紀，資訊科技與數位內容的蓬勃發展，大學圖書館也戮力引進各類型電子資源（如資料庫、電子期刊、電子書），導致讀者的資訊需求很容易就透過網路滿足，再加上我國長久以來在培養民眾閱讀習慣方面的成效不彰，使得大學圖書館的借閱率、入館率逐年降低，也讓許多人開始對「圖書館是大學的知識心臟」這句話產生懷疑。另一方面，現代化的圖書館需要導入許多資訊科技，以及高教經費短絀，許多大學因此將圖書館和資訊中心整併為圖書資訊處，而未考量二者之間存在著本質上的差異，更讓大學圖書館的處境雪上加霜。

　　有鑑於此，本書的出版具有多方面的價值。首先，作者以資訊科學的學術背景擔任政治大學圖書館館長多年，在撰寫本書時從館舍空間和特殊館藏兩項圖書館核心價值切入，彰顯了任何一位館長都應該體察、發揮圖書館的核心價值，無論其學科背景為何。再者，作者以政治大學圖書館與社會科學資料中心的實際案例，論述空間改造、特藏徵集典藏

與展示、視覺化與數位展演、數位人文對圖書館創新的價值和意義,並鼓勵圖書館導入計算思維,以及對圖書館提出數位創新的建議,讓圖書館館員不用憑空想像就能夠以實際案例為鑑進行數位創新的規劃,對館員深具啟發性。三者,作者以校內不同領域學者的回饋,構築新世代大學圖書館的發展方向,提醒了大學圖書館務必走入學術社群、發展符合學術社群需求的服務。

本人身為中華民國圖書館學會理事長,深覺本書的出版值得許多類型的讀者閱讀。首先是各大學的校長、館長以及學者們,從本書可以發現大學圖書館的無限潛力,大學圖書館長久以來累積的學術資源、連結性、中立性、服務性讓它能夠提供深化、前瞻的學術社群服務,而不僅僅只是個行政單位;對圖書館館員而言,閱讀本書可以跳脫傳統徵集、典藏、閱覽、推廣的窠臼,擴大視野,擁抱圖書館的新興任務;對於圖書資訊系所與學生而言,更是一份優秀的個案探討教材,並提供了課程規劃的參考。

本人身為大學圖書館館長多年,雖如作者積極推動各項創新,但偶有力不從心之感,因為對外必須讓校長與校內各單位、學者與同學們珍視圖書館的意義與價值,對內必須說服與帶領館內同仁在既有基礎上擴展新的服務。有了本書,不僅讓我回歸初心,思考大學圖書館創新的必要性,也讓我更有信心持續對內外倡議與創新館務,讓圖書館持續做為

大學的知識心臟。是為序。

柯皓仁　2019 年 8 月 26 日
國立臺灣師範大學圖書館館長
中華民國圖書館學會理事長

自序

　　從 1960 年代的「圖書館是大學的心臟」到 2000 年代的「網際網路全球數位圖書館」，大學圖書館走過人人求知求學必備的輝煌盛況，而今面臨資訊隨手可及、使用者逐步流失，再加上多年的擴張累積，造成投資與營運成本高居不下，而服務效益卻逐漸遞減的落差。大學圖書館的反思與突破，功能與角色的重新定位，勢在必行。

　　政治大學圖書館及社會科學資料中心組成的大學圖書館體系，擁有兩座獨立館舍建築及四個設於學院大樓中的圖書分館，整體藏書量超過兩百萬冊，編制館員及計畫性專職助理人力超過九十人，規模為國內僅次於臺大圖書館。筆者於 2005 年 8 月起至 2014 年 11 月止，擔任館長兼中心主任，以資訊科學系教師的學術專業，帶領館務發展，啟動各種階段性轉型與改造計畫，累積一些寶貴經驗與心得，乃將之化諸文字傳承，希望能對大學圖書館的永續發展有所助益。本書的撰寫計畫原先預計於 2016 年 6 月完成，不料期待中的工作減量未能如願，撰寫進度嚴重落後，經常因學術行政與計畫性工作之負荷而多所中斷、進展緩慢。但基於對大學圖書館發展的責任、理念與關懷，仍堅持目標，轉為慢思

緩筆，並加強近期數位發展概念，終於 2019 年 6 月完稿，也許少了情感的羈絆，留下沉澱之後的去蕪存菁。本書設定的讀者群，包括大學圖書館的管理及專業人員、圖書資訊系所師生及所有關心圖書館事業的人士，希望以兼具圖書館實務經驗與資訊科技視野的觀點，提供圖書資訊專業領域成長及圖書館轉型進化的參照，藉由案例、觀點與想像的探討，凝聚圖書館社群創新發展的能量，共同邁向數位時代圖書館的華麗轉身。

　　從理工學科訓練的背景與學術工作，到管理經營以人文底蘊為核心的大學圖書館，尤其是多年的浸潤、融會與共創，是個人生命中的幸運機緣與美好經驗，不僅開展個人的視野與足跡，更帶來豐富的精神饗宴。這段奇幻旅程要感謝許多包容指導的師長與共同努力的夥伴，包括政大吳思華校長、鄭瑞城校長的提攜及對館務發展政策的支持、臺大圖書館前館長項潔教授亦師亦友的鼓勵與帶領、臺師大圖書館館長柯皓仁教授及臺大圖書館館長陳光華教授溫暖互動的同儕情誼、政大圖書館前副館長廖文宏教授及政大社資中心研發組前組長劉昭麟教授的專業貢獻，無私捐贈珍貴史料的陳芳明教授、余光中教授、尉天驄教授、羅久芳與羅久華教授等，另外，也感謝政大創新與創造力講座吳靜吉教授對創意創新所帶來的啟發。最後，要特別感謝政大圖書館一群部門主管與館員的同心攜手前行，以專業與敬業回應時代的挑戰與共同設定的館務

發展目標，讓政大圖書館的發展經驗也許有機會成為討論大學圖書館如
何定位的參照案例。本書如仍有謬誤或疏失之處，乃是筆者自身學識與
思慮之不足。最後，謹將本書獻給陪伴與支持的家人。

2019年7月29日於政治大學創新與創造力研究中心

前言

　　圖書館是現代社會大部分人都知道的功能性場所，每一個人在接受國民教育、追求高等教育的過程中，或多或少都接觸過、使用過圖書館。圖書館代表著知識涵養的殿堂，利用圖書館的行為是受到鼓勵與讚許的，父母從來不會拒絕小孩提出要到圖書館看書的請求；大學生／研究生在圖書館的守護下度過青春年華的成長蛻變，而對圖書館保有美好回憶；社會人士將閒暇時間花在圖書館，則是追求學識與心靈的自我成長。圖書館在一般人心目中是溫暖而良善的印記，圖書館是一個開放的、接納的、孕育的、修練的、陪伴的場域，一直安靜的就在不遠之處，隨時關照人們的知性需求，默默的耕耘知識與文化的土壤，忠誠的執行被賦予、被期待的任務。因此，圖書館是一個無差別造福眾生的社會機構，具有備受肯定、高度認同的社會評價。

　　圖書館的存在是現代社會進步的象徵，一個已開發的國家、富裕的社會通常都是廣設各種類型的圖書館，從各層級的學校圖書館、研發機構的專業圖書館、城鄉各地的公共圖書館到崇高地位的國家圖書館，都是教育文化資源的重要基礎設施。圖書館的品質也反映著一個地區的發

展程度，從館舍建築、內裝陳設、館藏內容到營運服務等，越是高度發展的地區，如歐、美、日等先進國家，越可以看到精品等級的圖書館，或是以歷史悠久、莊嚴堂皇的建築及數百年珍貴館藏，成為民族的重要文化資產；或是精心設計、明亮透通的現代建築，打造生活美學、追求人文與科技結合的現代社會公共投資。臺灣走過從小康社會到成為世界經濟體系重要成員的發展過程，也見證了整體圖書館從稀少簡陋到普及精緻的進步與提升。

　　圖書館的本質是人類知識傳承與再造的一種儲備中介輔助機制，圖書館（或古代的藏書樓、藏經閣等）蒐集各種書寫紀錄、長期保存累積，再由求知者的閱讀領會，完成知識的傳遞擴散與深化再造，而提升文明演化的速度。在人類歷史長河中，一個能建立圖書館機制的民族，是一個能傳承記憶、群體學習的民族，不僅能強健其遭遇天災人禍下的生存機會與復興能力，更能持續累積進化其文明發展。到了全民教育體制化的現代社會，圖書館機制一方面普及發展，廣泛設置；一方面則專業分工，開始區隔不同的服務對象與功能任務。除了蒐集知識產出、媒介學習擴散的本質不變之外，圖書館更多了空間場所的公共資源角色，從學生到公民，每一個人都可以自由的前往一個屬於大家的地方，進入一個心靈的桃花源，享受典雅沉靜的氛圍，得到思緒的沉澱，在浩瀚的知識海洋中怡然悠遊。圖書館是蘊含寧靜沉穩氣質的園地，是現代社會普世

人民的精神幸福樂土。

　　人類文明不斷向前推演，大學的設立與發展是近代社會人民知識程度與生活水準普遍提升的重要推手，也是科學突破與人文創新的發動引擎。因此，大學圖書館相較於其他各類圖書館，在知識創造與知識傳承的輔助機制上，更扮演著關鍵性的角色。大學圖書館在大學校園中，以館舍空間及館藏資料，支持師生的教學與研究，尤其在網路化與數位化之前的二十世紀，大學圖書館是學生在校園中、課堂教室以外最重要的學習場所，不論是教師教學與研究所需的學術領域參考資料，或是學生自主學習專業知識的大量經典書籍，都必須依賴圖書館的存在與服務。因此，大學圖書館經常是座無虛席，館藏資料則是無可取代的知識媒介，1960 年代的圖書館界更以「大學圖書館是大學的心臟」，來總結其在大學校園中的核心地位。

　　隨著全球各地大學的蓬勃發展，大學圖書館走過數十年的成長擴充期，從館舍的新建、館藏量的成長、人員編制的擴大到經費投資的增加，圖書館做為人類知識傳承與再造的一種儲備中介輔助機制，在大學圖書館身上得到最佳的展現，人類文明也在二次世界大戰之後，發展出一段高速成長的時期。進入二十一世紀以後，人類知識更快速的傳承、擴散與創新，整體生活福祉也持續大幅進步。然而，全球各地的大學圖書館開始發現過去的榮景似乎開始轉變，短短一、二十年間的全球網路化與

數位化，讓資訊的產生、流動與消費，以前所未有的速度與規模，改變了人類生活與工作的樣貌與內涵。這種新型態的資訊運行系統與基礎設施讓人類知識傳承與再造的需求，不再完全依賴傳統的圖書館機制，大量的資料與資訊以數位形式存在，分散儲存於各地的電腦伺服器，可以在彈指之間搜尋、檢索、呈現。大學社群成員開始以更有效率的方式取用教學研究參考資料，迅速成長的全球共建共享網路資源也開啟了隨時隨地的需求導向自主學習，大學圖書館則普遍觀察到逐年下降的到館使用人次，圖書館空間及館藏的投資成本與利用率之間的衡平成為一個開始受到討論的議題。另一方面，傳統圖書館機制的運作需要不斷擴充的規模，隨著館藏量的增加，儲存空間與管理人員都需要相對的因應，大學圖書館的館藏量從數十萬冊、上百萬冊到五百萬冊以上，圖書館逐年增加的經費需求，包括館藏訂閱、新購、維運人力、電力、空間設備維修增設等，開始對許多大學的財務造成沉重負擔，而漸漸無力再支撐傳統的圖書館機制。

二十一世紀的大學圖書館應該以何種功能角色重新定位，讓知識傳承與知識再造的本質在數位新時代中，得到創新內涵的進展，並展現出更好的投資效益，是一個值得關注與思考的議題。二十一世紀的大學圖書館也許存在兩種理想的典型，一種是以文化歷史資產的保存及古典書香氛圍的形塑為內在核心，而以建築藝術館舍為外在形貌的少數精品圖

書館，其重心在於對人類千年紙質知識媒介的傳承；另一種則是以大量數位設施與跨域專業能力，成為大學校園中的數位實驗室，提供實體與虛擬互動融合的創新實驗場域，協助師生在教學與研究情境需求中，從資料流動、資訊加值到知識轉化，創新資料組織、資訊呈現與知識發現，甚至創意設計虛擬實境與擴增實境、大數據分析的各種應用，而以數位時代的資料企業、數位創意實驗室與人工智慧實驗室為核心發展目標。

　　本書以大學圖書館的管理與發展實務經驗為本，探討新時代大學圖書館的可能定位，檢視兩個發展面向——文化知識資產與數位轉型開創的發展過程與具體案例，省思創新未來的策略方案。內容分為三篇八章：第一篇主張大學圖書館的核心價值，包括第一章的館舍空間，討論知識底蘊與文化涵養的場域概念，並記述空間改造的案例；及第二章的特殊館藏，聚焦特殊珍貴材料的蒐集與保存及其學術發展，以善盡傳承知識與守護文化資產的社會責任，並以政府官職資料庫、孫中山紀念圖書館及羅家倫文庫為代表性案例。第二篇彰顯大學圖書館的創新突破，包括第三章的轉型再造，記錄政大社資中心的階段性轉型發展，創造研究圖書館的新生命力；第四章的視覺化與數位展演，介紹大型視覺化設施的打造，並融合數位內容設計與專業開發，呈現多人即時互動的新形態資訊展演體驗；及第五章的讀者觀點與省思，整理受訪者對於圖書館現況與創新行動的回饋意見，並反思圖書館的後續努力方向。第三篇探索大

學圖書館的數位未來，包括第六章的數位人文，討論人文社會科學的新研究典範，做為圖書館服務學術研究的新利基；第七章的計算思維，導入數位世界運作的認知模型與思考技能，提供人腦與電腦互動共創的基礎；及第八章的數位創新，轉譯創新的內涵與數位創新的本質，並建議大學圖書館的創新行動方案。最後的結語，則提出大學圖書館的創新發展策略，期許圖書館未來的新樣貌與新榮景，而能再次協助寫下人類文明的新篇章。

政治大學中正圖書館館舍建築

第 1 篇

核心價值

第一章 館舍空間

窗外藍天白雲，你視而不見，靜默一隅，青春的徬徨得到陪伴；滿室書香慧思，你駐足尋覓，時光飛逝，生命的進取正在孕育。

　　圖書館空間是大部分人在求學養成階段，都擁有的共同經驗與溫暖記憶。走進圖書館，就像進入另外一個小小的世界，在寧靜的氛圍中，時間的步伐變慢了，大部分的物體靜止不動，可以暫時隔離外界的喧嚷紛擾，轉而專注內在世界的運轉。圖書館空間提供了一個獨特場域，讓心靈與浩瀚的歷史、文化、知識對話，尋找思想的指引、疑惑的解答、情感的慰藉、心靈的沉澱安定與清澈，進而獲得心智的成長、學識的增加、甚至思想與價值的形塑。圖書館空間也附帶的扮演了生活調劑的角色，不論是休閒的書刊閱讀與影片觀賞，或是發呆、空想、做夢，甚至約會陪伴等，都是文明社會美好生活的元素。因此，圖書館空間場域與館藏資料具有同等的重要地位，許多特殊意象展現於電影與小說的情節場景中，例如：深沉木質書架與桌椅設備帶來的古典莊嚴氣息，高大書牆包覆形塑的知識殿堂，閱覽書桌上的聚精會神，黑暗中散發溫潤智慧

的桌燈，開放書架走道中的搜尋目光與意外發現，塵封已久的資料中不為人知的古老祕密，隱密角落中躲避眾人耳目的事件等。圖書館空間在跨世代的心靈中留下深刻印記，連結著許多人的成長經驗，更在文明演進中扮演重要基礎角色。因此，能與時俱進的圖書館空間規劃、打造與目標效益，將是大學圖書館經營者或是大學社群的重要課題。

功能

　　圖書館空間過去對讀者提供的功能以查找資料與閱覽資料為主，活動型式主要為書刊資料的查找取用或是長時間的定點閱讀筆記，因此，圖書館一向被定位為一個安靜的、個人的學習場所。圖書館同時也肩負著長期收集與保存書刊資料的社會責任，成為人類文明發展的重要基礎設施，也因此形塑了知識殿堂的意象。大學圖書館的空間利用通常以存放不同書刊資源類型為主要區塊，如書籍、期刊、雜誌、報紙、視聽資源、微縮微捲等，再搭配讀者利用這些資源的活動空間與設備配置。館藏資源的存放與利用，通常也區分為開架與閉架或撤架兩種型式，開架的館藏資源提供讀者直接使用，閉架或撤架的館藏資源則存放於隔絕讀者的內部管理空間，必須透過調閱，由館員取出登記後，再提供讀者使用。開架區通常存放較為近期或使用率較高的館藏資源，閉架區通常保

存較為特殊的或珍貴的館藏資源，如手冊、手稿、地圖、珍本、孤本等，撤架區則存放從開架區汰換下來的館藏資源。大學圖書館的另外一種空間配置則是以人為主體而無需使用實體館藏資源的活動區塊，如獨立而安靜的自習區、小團體使用的研討室或影音觀賞室、配置大量電腦的資源檢索室等。這些空間利用型式反映了大學圖書館的兩大核心功能，一為蒐集與保存歷史、文化、知識等各類資源，二為支援各種學習型態的需求。

問題與策略

　　大學圖書館近年在空間上普遍存在幾個問題，包括讀者使用率下降、館藏空間不足、陳設老舊而缺乏美感、功能單調而無法因應新需求等，這些問題有各自的背景因素與不利影響，但也有針對性或整體性的因應策略。大學圖書館的主要使用者為大學社群中的師生，這群使用者在資訊時代大量產製的數位資源與快速便利的網路傳輸環境下，也大幅的改變資訊搜尋模式與資訊使用行為，而逐漸降低對圖書館的需求。圖書館的讀者到館人次逐年下降，圖書館席位充分利用的情形通常只剩期中考、期末考等特定期間，許多教師與研究生漸漸不再到館，轉而利用豐富、多元而近在指尖的網路數位資源，圖書館館內的讀者身影日益稀

疏，館藏資源不再被讀者需求的空間區塊更顯得冷清。然而，圖書館被設定為一個知識儲存的體制，其既定運行軌道是不斷的累積館藏資源。一方面有利於高教院校升格與校務考核中的基礎設施指標，一方面也是社會責任的承擔，圖書館的館藏量一定是逐年提升，原有的空間量體在一定時間之後，就會開始面臨空間不敷使用的問題。週期性的新入館藏迫使圖書館必須定期盤點罕用館藏，撤架、搬移至其他空間存放，以維持館藏空間的周轉使用。這些耗費時間與人力的挪移轉換，大致只能解決眼前的短期問題，更中長期的解決方案，需要整體性的圖書館發展策略目標與空間利用規劃。

圖書館空間另一個顯著議題在於空間質感的落後，除了少數在特定時空充分資源條件下新建的圖書館，更多大學圖書館逐漸曝露館舍空間老舊而簡陋的困境。在新世代大學社群成員眼中，這些舊式的館舍空間呈現出一種制式的、教條式的意象，不講究讀者的空間感官經驗，也不追求空間美感的形塑。相形之下，世界著名大學圖書館所精心塑造的古典知性風華，或是知名書店所打造的溫馨雅緻風格，讓讀者願意親近感受知性的美感，享受沉浸其間的舒適感，甚至蘊涵能讓讀者吸納的心靈能量養分。因此，大學圖書館必須面對空間氛圍改造的必要性，重新找回能吸引讀者的空間場域力量。最後一個討論的議題則是圖書館空間大都以紙本書刊的存放與閱覽為功能目的，在數位媒介與資訊加值的演進

中，過度單一主軸的空間利用方式已經無法因應大學社群中新型態的資訊獲取模式需求。部分大學圖書館開始出現完全以讀者為主體的空間，如自習室及研討室，或是因應影音內容與數位資訊需求的空間，如觀賞室、電腦區及檢索室等，這些都是圖書館開始改變空間利用方式以回應新世代大學社群需求的表現。然而，隨著社會進步與生活水準提升，圖書館所提供的空間設施已經不再獨特，許多讀者已經開始取得能替代圖書館空間設施的資源，而失去了必須到圖書館的動機。圖書館必須再次思考如何發展出新的空間設施優勢，如何重新建立無可取代的場域特色，讓讀者必須到館利用，得到其他場所無法提供的功能服務與學習經驗，圖書館空間才有新的價值。

圖書館空間的優勢特色不再是時代演進衝擊的結果，過去數十年的各種社會資源累積與資訊技術發展，對大學校園的知識體系活動本質也帶來大幅改變，從傳統上單一、集中的紙本載體與靜態、個人的學習方式，轉變為實體與數位雙軌、資訊匯流即時互動的多元樣貌，圖書館空間所扮演的角色必須重新思考定位。圖書館只能正視這個議題，積極改造空間，開發新的功能，創造新的場域氛圍，才能灌注新的生命力。圖書館的時代新貌當然以整體新建為首，從建築外觀設計到館舍內部規劃，從設施布置到功能服務，都以現代社會能力的高標準，體現資訊、知識與文化融會的新意涵，形塑人文與科技結合的新典範。少數歷史悠

久、社會資源豐沛的大學所擁有的圖書館，已經達到建築藝術精品的層次，從外觀建材到內裝陳設，典雅莊重、精緻大器，呈現經過時間考驗的空間美學，散發世代師生共同蘊含的靈氣，更輝映出文明精髓與歷史風華。精品級圖書館的內外氛圍，投射出知識殿堂的形象，代表著大學追求真理、創造知識的學術意涵，而成為大學校園中的珍貴資產。這些圖書館在新世代潮流中，可以局部改變內在空間利用方式，適度引進數位科技元素，支援新型態學習活動，延續亙古彌新的生命力。當然，若是在一所財力雄厚的大學中，能同時擁有一座充滿歷史感的精品級圖書館及一座以全新概念設計打造的新世代圖書館，古今輝映、人文科技雙軌並進，會是好幾個世代大學社群的最大福祉。

　　大學校園中一座圖書館的新建，同時需要校地與經費兩大條件。大學圖書館的位置必須盡可能是大學校園師生活動的適中區域，同時也需要足夠大小的空地。通常已經發展數十年的大學，校園土地空間飽和利用，除非拆除既有老舊校舍建築，或是在一個全新校區的土地開發，否則很難會有合適的場址做為新館的基地。在經費部分，以目前的建築造價而言，一座新建的圖書館大約是以新台幣十億元起跳。如此的經費規格對面臨高教資源日益緊縮的各大學而言，幾乎是難以自行籌措實現的財務支出計畫，或是在整體校務發展目標上，未必能將一大筆預算優先投注於未能帶來外部資源收益前景的基礎設施上。在當前的現實條件

下，大學圖書館的新建大致以募款或捐贈為主要途徑，通常只能長期努力、等待特殊機緣的發生。在新建條件困難重重、遙不可及的情形下，圖書館更實際的策略應是以階段性的局部調整為目標，力求減少外部條件因素，在不造成學校過度財務壓力下，分年、分階段、分區塊實施，累積小成果為大改變，以逐步、漸進的方式，完成整體性的空間改造。在個別空間目標短期實踐過程中，一方面可以凝聚館內共識與信心，建立館員工作目標與專業；另一方面也可以即時回饋改變效益，減少社群成員中的可能阻力，為經充分驗證、穩健可行的實施策略。

圖書館的空間改造牽涉到空間用途核心思維的改變。長期以來，圖書館空間是以存放紙本書刊為主體，大量的開放式書架讓讀者走動瀏覽、自行取閱，再搭配桌椅設備提供靜態閱讀。大學圖書館可能持續館藏了五十年、甚至上百年的書刊存量，館藏量的成長速度可以在十年、二十年、三十年之間就填滿一座大學圖書館，許多大學校園內開始設置一座座圖書分館或專門圖書館，以擴增館舍空間來因應不斷成長的書刊量所需的存放與使用空間。在資訊與知識載體由紙本書刊獨佔的年代，館藏量是大學圖書館發展的重要指標，也是各地大學必須持續投入資源，以支持教學與研究的必要基礎設施。然而，每新設一座分館，除了新建館舍的費用之外，更大的負擔是長期的組織人力與運作成本的倍數增加，這種模式幾乎對所有大學都造成沉重的負荷。到了高教體系擴

張、高教資源稀釋、高教營運成本攀升的近期，許多大學已經無力再持續擴充圖書館規模，圖書館的運作模式與服務功能開始有更大的壓力必須考量資源投入與效益產出之間的均衡。同時，在資訊技術進步與數位資源充沛的時代，讀者對紙本書刊的依賴與需求程度逐漸下降，過去大量累積的紙本書刊仍持續佔據高比例的圖書館空間，形成空間資源的效益不彰。

在此時代發展脈絡下，圖書館必須某種程度的降低紙本書刊的空間佔有率，騰出部分空間區塊，開發以人的互動及多元學習活動為主體功能的空間。紙本書刊依其效益與價值決定其處理方式與保存位置，圖書館內空間只保留新到館書刊、常用書刊及特殊珍貴書刊，使用率低的一般書刊必須定期篩選、撤架、搬移到圖書館外之密集書庫或罕用書庫，以大量長期保存並提供不定時的調閱需求。因此，圖書館空間改造的整體目標乃尋求空間用途與功能效益的改善，以回應前述議題，包括：以館外設置運作成本較低的密集書庫，解決館藏空間不足的問題，並重新調整空間利用配置；建置符合現代化標準之舒適閱覽環境，提供多人互動學習與資訊多元呈現功能設施，以空間美學營造空間氛圍質感，建立兼具功能性與經驗性之空間吸引力，找回讀者常態到館的熱情與慣性，重新滿足讀者的新空間需求，塑造圖書館的新空間價值。圖書館空間的改造大致以硬體設施與軟體內容為兩大主軸，硬體設施的更新從功能規

劃與空間設計開始，涵蓋門窗材質、天花板、地板、桌椅設備、燈具照明、牆面裝飾、畫作布置、植栽點綴、色彩光影呈現等整體視覺效果與空間氛圍之打造，軟體內容則是廣義學術資源之多元型式及其使用與呈現所需之設備，尤其在數位資源的開創上，更有許多發展的可能性，包括新的主題、新的連結整合、新的利用方式等。部分空間區塊的功能規劃相對較為單純，可能只涵蓋硬體設施的更新，在預期執行結果上也較能事先掌握，可以優先處理。部分空間區塊的改造目標可能涉及軟體內容與硬體設施的整合規劃，需要更多的專業技術與條件準備，但也將展現更大的突破與創新。

實務案例

　　政治大學圖書館共設有一座總館（中正圖書館）、四座學院分館（傳播學院、商學院、綜合院館、國研中心）及一座專門圖書館（社會科學資料中心），總館與專門圖書館各有獨立的館舍建築，四座學院分館則是設置於學院院館的部分樓層或部分空間，完工啟用時間與樓地板面積分別為：中正圖書館、1978 年、約 14,000 平方公尺；社會科學資料中心、1973 年及 1983 年擴建、約 8,000 平方公尺；傳播學院圖書分館、1989 年、約 370 平方公尺；商學院圖書分館、1997 年、約 2,200 平方公尺；綜合

院館圖書分館、2000 年、約 3,400 平方公尺；國研中心圖書分館、1970
年、約 1,900 平方公尺。政治大學圖書館現有體系的演進反映出一所大
學於 1954 年復校後發展成長的部分歷程，每一座圖書館都是為滿足當
時的教學研究需求、在當時的社會氛圍與資源條件下建置，2000 年以
後，政治大學的院系所規模漸趨飽和，圖書館體系館舍不再成長，重點
乃放在既有空間的更新改造，尤其是使用人次最多也逐漸老舊的總館。

　　政治大學中正圖書館為一座五層樓的回字型建築，建築結構的第一
層設有環繞一周的圍牆，為防範水汛之設計，建築前方設有樓梯，由地
面到建築結構第二層做為出入通道，館內樓層的使用方式乃習慣以進出
館舍的樓層（建築結構第二層）為一樓，其上依序為二樓至四樓，建築
結構的第一層則以地下室稱呼使用。中正圖書館的空間改造自 2005 年
啟動規劃，以由下而上、由內而外方式分階段進行，首先以大學生最
密集使用的地下室自習區為目標，於 2006 年完成空間設施之現代化更
新；其後，於 2007 年完成一樓廣場地坪之更新；2008 年完成二樓經典
書房與一樓數位資源學習區之設置與空間改造；2009 年完成二樓至四
樓天花板、照明、空調設備之更新；2010 年完成一樓出入口大廳改造；
2011 年完成館舍建築外牆、窗戶與機電設施之更新。

　　中正圖書館一樓廣場地坪原先年久失修、部分地面破損，經常遇雨
積水，成為讀者出入路線障礙，也不斷累積館舍老舊之印象，乃列為第

中正圖書館地下室自習區改造前　　　　　　　　　中正圖書館地下室自習區改造後

中正圖書館一樓廣場老舊地坪

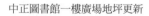

中正圖書館一樓廣場地坪更新

中正圖書館一樓廣場揭幕啟用

中正圖書館一樓廣場校史意象

二個空間改造之焦點。改建更新之廣場地坪以現代化建材及排水功能為首要考量，另外，在廣場中央位置，導入意象鑲刻之概念，最核心為圖書館圖型標誌與發展理念，內環為政治大學九個學院成立之年代，外環螺旋則以設立時間先後依序排列各系所名稱，塑造政治大學發展歷程之鑲印。廣場地坪之改造成果讓全校耳目一新，也開始逐漸扭轉過去對圖書館館舍之觀感。

經典書房與數位資源學習區之設置，皆為原先以紙本資源為主但使用率低而讀者罕至之空間改造，重新規劃空間功能概念，賦予空間新生命力，成為受到讀者喜愛而駐足使用的空間。由期刊服務台改設為經典書房，打造精緻而舒適之閱讀環境，成為圖書館特展活動專區，如珍貴手稿展、教師著作展、大批贈書展、特定主題館藏資源展覽推廣等，呈現典雅書香之氛圍。參考資源區則改設為數位資源學習區，導入數位資源與多人互動學習為主體之空間功能，整合了多媒體服務、資訊檢索、數位學習、團體討論室、參考諮詢服務、館際合作，打造出資訊共享空間及學習共享空間的一站式、新型態服務模式。

在原有建築結構允許下，中正圖書館各樓層原先較為舊式、窄小之窗幅，皆改成大片玻璃窗戶，訴求視覺的明亮通透，讓戶外自然景色融入館內空間，也讓館內的身影與燈光，在夜間成為校園生命力的投射。館舍大廳以溫暖的燈光與休閒桌椅，接納讀者短暫停留與會面交談。館

中正圖書館二樓原期刊服務台

中正圖書館二樓經典書房專區

中正圖書館一樓數位資源學習區

中正圖書館一樓數位資源學習區

中正圖書館改造後的閱讀環境

中正圖書館改造後的閱讀環境

出入口大門圖徽標誌

中正圖書館一樓出入口外觀

中正圖書館館舍建築新氣象

舍的玻璃大門，也鑲貼新設計的圖書館圖徽標誌，打造組織識別及專業意象。

　　政治大學圖書總館的空間改造過程長達六年，最終完成讓已使用三十餘年之館舍得到新生命力，徹底提升為符合現代意象的大學圖書館。這種邊用、邊修的漸進式館舍空間改造，乃是在現實因素下的務實作法。一方面，圖書總館承擔了最主要的服務功能，無法長時間封館停止服務而進行全面性的整修，分區改造、縮短施工時間、利用寒暑假施作，而拉長改造年度時程成為必要的妥協；另一方面，以分年分階段之施工作業，經費規模從數百萬元到數千萬元新台幣，對學校的年度預算不致造成沉重負擔或重大排擠，是較為可行的財務支出方式。在漸進式空間改造的過程中，空間功能與空間意象的新思維與新概念，可以小規模、小區塊的嘗試與實驗，圖書館館員可以逐漸累積空間改造的規劃能力與執行經驗，大學社群成員可以即時檢驗評估改造成效，各項有利條件持續增長，進而支持更大幅度的空間改造，達成穩健、和諧而實用的空間議題處理策略。

意涵省思

　　經過長年的發展，圖書館在大學校園中已經形塑出獨特的意象與內

涵，圖書館是大學追求知識的表徵，圖書館空間是凝聚人類知識的縮影，圖書館跨越了院系所的學術藩籬，也廣闊包容的對應不同知識領域或位置。因此，圖書館是大學社群中的共同交集，是公平的、開放的屬於所有人，包括教師、學生與行政人員。相較於各有歸屬階層體系的學術單位與各有管理功能的行政單位，圖書館是大學社群共同納入的生活範圍，在來來往往的校園活動中，圖書館是可以自由進出的港灣，無差別的吸納來客，停泊駐留，得到心靈的滋養補給，也是學生離開教室之後，最重要的休憩與自主學習的場所。圖書館擁有與大學社群幾乎沒有隔閡、沒有障礙的心理距離，成為大學社群成員心目中容易親近、願意接近的心靈庇護所。因此，圖書館通常座落於校園中心位置，同時也在建造時受到特別的重視，擁有宏偉的建築外觀造型、雅緻的館舍內裝設計與包羅萬象的典籍，而成為大學學術與知識殿堂的形象代表。圖書館與宿舍是學生在大學生活中停留時間最長、最有強烈歸屬感的空間，圖書館也是外來訪客優先探尋、感受體驗大學氛圍與氣息的空間，圖書館可以說是大學對內的守護者與對外的代言者。

圖書館對內與對外的公共性與接納性建構了大學校園中一個獨特場域，形塑一個匯聚多元能量的空間，蘊含無形知性與感性力量，發揮最有影響力的知識傳遞與文化媒介功能。圖書館是大學校園中最有條件匯集人群之場所，能建立與人群的密切連結；圖書館廣泛的收藏人文、社

會、自然等各類學科典籍資料，成為傳道解惑的文化知識寶庫。圖書館空間最大的價值是將人群與文化知識結合在特定時空，提供讀者個人的長時間浸潤，或透過各種推廣活動，包括展示、觀賞、導讀、互動、討論等，引導人群的接觸參與，持續發揮點點滴滴的知識傳遞與文化培育效應。圖書館空間就是一個文化底蘊的載體，一個知性與感性的場域，讓進入這個場域的人群受到一種無形力量的感召，產生對知識的尊崇、對美感的仰慕，進而追尋知識、提升美感，在潛移默化之中，達成氣質的涵養與思想的陶冶。

隨著時代演進與社會發展，圖書館空間已經無法只單純的提供紙本書刊典藏與讀者閱覽功能，在學習參考資源面向上，圖書館受到網路數位資源的巨大衝擊；在閱覽自修功能上，校園之外的新型態書店與休閒餐飲設施也吸納了許多愛好者，圖書館不斷流失讀者的困境，仍然是一個必須面對的議題，否則再美好的意涵也只能落實在愈來愈少的讀者身上。以當前大學日趨以自主資源運作的社會框架下，圖書館勢必無法隨著館藏量的逐年增加而持續擴增館舍數量或面積，圖書館空間必須以有限資源的觀點重新思考利用方向與配置方式。過去大量累積的紙本參考書籍與各式期刊，在數位資源的取代下，應優先挪移他處，釋放原先擺放空間，才能重新改造利用，發展出更多元型態的活動場所，如提供群眾參與互動、支援多媒體展演的教學與推廣等。圖書館空間的內裝擺設

與裝飾，是生活美學的營造與展示，是圖書館必須開始重視的議題及投入資源的面向，也是圖書館專業的延伸。圖書館從早期靜態的、個人的自主求知，到現今扮演動態的、多人互動參與的、知性感性生活的一部分等多重角色，圖書館空間也逐漸開始納入影像、聲音、甚至人群等功能元素與使用表現。這些改變可能帶來部分原有使用者的質疑，認為圖書館失去了應該堅守紙本書刊資源、堅持安靜專注的閱讀環境等傳統典範。在大學校園內，不同學術專業領域、不同世代使用者對圖書館的意象與價值認定已經開始產生不少的差異，圖書館空間使用的變與不變，必須持續聽取各類族群的聲音，了解新興需求的方向，以有效的改造設計，區隔出不同使用性質的空間，才能扭轉趨勢，擴大服務對象。總結而言，圖書館必須思考如何善用自身的空間、文化知識與人群連結等資源，建構出一個不可替代的場域，具備外界無法提供的功能、無法競爭的優勢，才能重新找回使用者，重新建構自身的價值，展現新世代的、多元的文化知識守護者與代言人地位。

中正圖書館地下室空間改造

第二章　特殊館藏

　　圖書館的核心價值在於館藏建置與館藏服務，館藏泛指持續蒐集、長期保存、妥善管理的各類資料書刊。館藏是圖書館的基石，豐富的館藏是圖書館體現知識殿堂的靈魂，一座尊貴華麗的圖書館建築，如果沒有深厚的館藏典範與文化意涵，只會是美麗的空殼與精神的貧瘠。館藏大致可區分為一般館藏與特殊館藏；一般館藏通常為數量多、流通廣之書刊資料，容易被許多各地圖書館同時擁有，因而成為普遍之館藏；特殊館藏則是稀少、罕見之書刊資料，僅存在於非常少數的圖書館，成為具有歷史意義的知識與文化資產。更進一步而言，一般館藏主要由大量印刷出版的現代書籍刊物等構成，容易取得，可被替代，但也具備內容需求度高的條件，其館藏價值在於方便更多讀者依其地理位置就近取用，以增益資訊與知識的傳播。特殊館藏則主要是年代久遠、幸運留存在世的極少量書刊史料，甚為脆弱與稀有，一旦破壞損毀，將是永久性的歷史失落。因此，特殊館藏不但是珍貴的文明發展紀錄，更具有獨特的人文研究學術價值。

　　在圖書館界，特殊館藏通常簡稱特藏，除了原本的特殊性，又另外

增加了重要性與珍貴性等特級意味，在保存與服務等管理工作上，更需要投入有別於一般館藏的專業與資源。紙本特藏，諸如手稿、檔案、日記、書信、珍本、孤本等，經過人為使用與自然環境的長時間折損，通常已甚為脆弱，稍有不慎即容易損壞，需要設置恆溫恆濕控制的書櫃、檔案櫃、專室等保存設施，以確保能維持或延長其現有狀態，甚至必須以無酸紙為包覆襯墊，為每一件特藏資料提供更周全的保護。同時，特藏專室也必須設置嚴密的安全與管理設施，以防止有心人可能的覬覦。所以，特藏通常不對外開放，讀者必須事先提出調閱申請，經過審核之後，才能由館員取出，並在指定的專室與館員的陪同下使用，館員與讀者在接觸特藏資料的過程，也必須戴上棉質手套，以避免皮膚上的細微汗水侵入而損害了特藏資料紙張。特藏資料在圖書館的內部管理上，也必須建立嚴謹的保全規範，包括為每一件資料建檔、定期清查盤點核對及內部人員接觸資料的標準作業程序等。

人類文明演進的過程中，各式文字書寫記載絕大部分隨著天災人禍而在歷史長河中灰飛煙滅，只有極少數有幸殘存於世界各地的史料守護機構，讓後代能藉以窺視文明樣貌、探究歷史足跡。到了現代社會，這些文明史料的守護工作開始由少數較具規模的圖書館承接，有幸進入圖書館受到專業保護與管理的史料，就成了圖書館的特藏。基於其高度的專業與資源需求，圖書館界中具備發展特藏與管理特藏條件者，通常是

國家級圖書館、少數大型研究機構圖書館、指標性大學圖書館，或是歷史悠久之宗教圖書館等，可能是國家政策的賦予或是自我認同的承擔。這些圖書館特藏資料的建立，一部分是源於歷史機緣的接收保管與傳承維護，一部分是基於專業地位與聲譽的主動持續徵集擴充，同時在人力、專業、經費、館舍空間等資源條件下，默默長期擔負著各式族群，如國家、社會、宗教乃至全人類思想、知識與文化資產的歷史守護責任。

在一個書寫紀錄典範轉移的時代，紙本手寫的素材已大量減少，然而過去長期累積留下來的大量書刊文件等，在體積與重量上皆相當可觀，而成為保管者在關照上的沉重負擔，甚至容易被輕忽與拋棄。民間個人保管者或擁有者，或是承接父執先輩的藏書與史料，或是個人親身參與的書寫紀錄，但本身已邁向老年，大都企盼能為其史料找到良好的歸宿，讓史料能得到妥善的專業管理，而成為社會的文化資產，並真正發揮其應有的學術價值。另外，機關組織附帶保存的紙本檔案史料，也可能在空間與人力上皆無力再承擔。肩負特藏發展任務的圖書館，一方面建立各自的接觸管道與合作對象，持續徵集、篩選真正有入藏價值的史料，另一方面也必須建立自身的專業聲譽，獲得史料保管者或擁有者的信任，才能得到稀有珍貴史料的託付。除了保存文化資產之外，圖書館的特藏發展也是人文學術研究的重要資料來源，新出現的史料會帶來新的人文研究議題，新的史料證據可能推翻或改寫過去的認知與推論，

彰顯圖書館的史料徵集對學術研究的本質貢獻。然而特藏的發展與管理，終究會對這些圖書館的營運造成相當程度的負擔，必須投入相對的專業與心力，也會帶來不小的管理壓力，更需要長期穩定的資源挹注，而期望公共政策的強力支持及社會的關注認同。

發展與徵集

在過去以紙張為書寫及印刷載體的年代，罕見及僅存的紙本書刊史料具有資訊來源的無可取代性。一方面如果這些紙本消失或毀壞了，其中所記載的內容也將不復存在，另一方面，讀者必須親身接觸閱讀這些紙本，才能取用其中的資訊。因此，圖書館的特藏對象就是珍貴的紙本書刊史料。然而，到了二十一世紀，進入到以位元為基礎的數位世界，過去由紙本所獨佔的資訊載體開始大幅改變，由電腦及網路所建構的數位平台反而成為資訊表達與流通的主要管道，其速度與效能遠超過紙本媒介，甚至開創許多資訊轉化與資訊解讀的新能力。因此，圖書館的特藏發展開始有了新的可能，不僅能以新的樣貌呈現，更能建構出多元使用的價值鏈。透過數位複製能力，紙本書刊史料的外觀與內容可以被忠實的轉化為數位內容型式，成為數位複本或數位複件，為資訊保存與資訊使用提供高度的便利性。換句話說，紙本書刊史料的數位典藏，讓資

訊內容可以從實體物件抽離，完全轉移到數位平台上，解除了原先接觸紙本珍貴書刊史料的脆弱性與唯一性。紙本原件成為文物資產的保存價值，其資訊內容則可在適當的專業管理下，極度擴大其使用方式、使用頻率與使用範圍，讓特藏的價值更加多元、更能得到彰顯。

隨著資訊技術的進步與數位內容專業的開展，二十一世紀圖書館的特藏發展增加了數位典藏的形式，紙本珍貴書刊史料的外觀樣貌與資訊內容可以被複製為數位圖像檔案，提供了原件的數位分身，一方面可以降低持續使用原件及保護原件的安全風險，另一方面則可與日益精進的數位平台接軌，讓特藏資訊內容進入無限寬廣的數位應用空間。做為數位分身的其中一項主要特徵，即是其資訊內容成為可以輕易的拆解分割，從冊到頁、甚至到段落、句、字等，都可以被分割使用或重組應用，從學術研究的檢索比對、統計分析，到加值應用的文字圖像藝術產品等，都能得到更大幅的延伸與擴展。因此，過去受到重重關卡保護、僅有少數人能接觸受益的特藏，開始可以透過數位分身走出深宮幽室，進入普及的教育體系，也可以跟社會大眾近距離接觸，成為人文歷史學習推廣、甚至文化創意產業的豐富素材。

圖書館納入數位典藏的特藏發展，其背後所代表的是角色功能的擴大與提升，從書刊檔案等物件的收藏者、管理者，開始成為內容資訊的生產者與加值者。這對圖書館面臨數位時代的考驗具有建立長期利基的

重大意義，圖書館能脫離單純的保管服務角色，開始承擔更有挑戰性的生產製造角色，而在人文學術資訊與知識的價值鏈上建立獨特地位。同時，這也代表著圖書館專業發展的擴大與深化，必須引進資訊技術專業及數位資訊內容設計與產製專業，並融入原本的館藏管理專業與人文領域知識，成為進化的新圖書館專業。在新專業的支持下，圖書館更能發展另一種特藏型式，從大量紙本文件中萃取核心資訊，建構特定主題之資料庫，讓散布在紙本各處的零碎資料，可以被匯集整合成為具有連貫性與脈絡性的資訊來源，提供高效率的資訊提取及高價值的資訊使用。圖書館可以在自身的紙本館藏中，評估合適而且有價值的資訊主題，透過新專業與新特藏的發展，正式進入資訊供應鏈成為獨家珍貴資訊的開發者與供給者。換句話說，新世代圖書館的另一個想像，就如同坐擁各類資訊原料的工廠，可以搭配組合各種資料，經過新專業程序，提煉出獨有的數位資訊，打造出一條新的資訊價值鏈。

在特藏發展的策略上，紙本特藏與數位特藏可以同時並進、互相加成，紙本特藏可以透過數位典藏，建立數位分身，擴大使用範圍，深化特殊館藏價值；一般紙本館藏經過篩選、彙整、加工，可以轉化為數位特藏，產生進階學術資訊，創造可加值再生的館藏價值。兩者一實體、一數位，在運用上更可以相互為用、互補整合而產生綜效，讓館藏在學術研究、教學活動、公眾推廣、文創產業等面向上，得到更多元的利基

價值。圖書館在館藏發展的創新能力展現與具體成果,將會對特藏徵集產生關鍵性的正面影響,讓珍貴書刊史料的保管者能看到實際案例,而願意信任圖書館的專業能力與發展目標,若其所珍藏的書刊史料能由圖書館接手保存管理,能預期後續的發揚光大與價值彰顯。如此才能打通過去的專業限制與徵集障礙,讓特藏資料的來源與特藏資訊的價值產生正向循環,建立從傳承保管者、圖書館到社會等不同層面都共同獲益的綜效。

實務案例

圖書館的特藏來源通常或是基於其機構社會地位或是基於其歷史發展機緣,可能是法定接收保管、專業採集或是志願捐贈。國內圖書館的特藏發展以國家圖書館與臺灣大學圖書館最具代表性,前者是國家賦予的法定權責功能,後者是臺灣歷史最悠久的綜合性大學,各自建立了不同體系的特藏資源。然而,珍貴書刊史料的保存與發展,若只依賴極少數圖書館的承擔,能被察覺接觸與收納保管的範圍相當有限,尤其在數位時代,紙本原件損毀消失的速度,可能遠大於進入館藏的速度。相較於公共圖書館的行政法人體系,大學學術領域多元,能擴大傳統圖書館專業的內涵與視野,教研人員同時兼具研究、教學與服務等不同面向與

性質的專業發展能量，因此，大學圖書館更具學術與實務創新的有利條件，若能導入新技術、融合跨領域專業，投入開創新型態的特藏發展，將為協助保存歷史人文資產提供重大貢獻。

　　政治大學於 1954 年在臺北復校，圖書館館藏建置從零開始，當然也相對的缺乏特藏發展的條件。隨著學校的逐年發展茁壯，政大圖書館在館藏量與專業成長上，也長年積累而建立人文社會學術圖書館領域的指標性地位，乃於 2007 年啟動較為積極的特藏發展政策，並選擇以數位典藏切入，同時也發展主題資料庫，開創新型態數位特藏，兩者互為輝映，彰顯政大圖書館特藏發展的專業與成果，進而帶動後續紙本特藏發展的機會。以下列舉代表性特藏主題之實務案例，並說明各項主題特藏發展之背景條件與過程，以供各界參考。

一、特色館藏精選

　　圖書館一旦決定將特藏發展列為重要經營目標，首先必須先進行本身館藏之盤點，評估是否存在具備特色且罕見獨有、年代久遠、具有人文歷史資產價值等特藏標準之書刊史料原件。在既有館藏未能符合經典特藏高標條件的情形下，政大圖書館選擇以發展數位典藏技術專業為起點，並選定以 1949 年以前之出版品或檔案文件為前期特藏對象；一方面是推估這些年代分界線之前的少量館藏仍具有其歷史時代意義，應該

從全部館藏中與予區隔；另一方面則是開始建立新專業的試驗，包括人力調派、技術發展、工作流程、產出評估等。在整體館務發展背景下，挑出了兩項主題館藏進行數位典藏，分別是學者藏書與特色史料。

　　學者藏書中以方豪先生捐贈之藏書資料為例，專案的啟動一方面將過去專室獨立存放、簡易建檔之書刊資料，重新檢視分類、細目建檔，升級為現代版的館藏目錄，另一方面則篩選出符合納入為特藏之資料，進行數位複製。方豪先生為天主教司鐸及歷史學者，1949 年起受聘於臺灣大學歷史系，1969 年借調擔任政大文理學院院長，1974 年當選中央研究院院士，1975 年獲教宗保祿六世頒授「名譽主教」，1978 年將其藏書資料等近萬冊／件捐贈給政大圖書館。方豪先生長年學術生涯重視海內外史料的蒐集，因此贈書中隱含孤本與珍貴手稿的潛在價值。圖書館的數位典藏工作，除了邀請相關領域歷史學者，協助篩選重要圖書資源，同時也針對手稿書信等資料，委請專業廠商進行拆裝、修復、數位複製及無酸保護等長期保存工作。整批資料重新整理與鑑定的過程就像尋寶一樣，的確挖掘出過去未能掌握的、具有納入為特藏價值的史料，其中尤以 1894 ～ 1905 年晚清寧波與泉州、臺灣之間的貿易文書《尺素頻通》最為珍貴。

　　《尺素頻通》彙編 74 件商家書信手稿，記述清朝末年臺灣與大陸沿海之間的貿易往來實務。除了將原件數位複製保存，在得知其學術研

究需求之後，政大圖書館更進一步規劃重新出版，乃邀請文史專家點校、編排、註釋，由中央研究院臺灣歷史研究所林玉茹研究員主編、導讀，以現代語言與文字印刷增加其可讀性，並與原件影像相互參照。林研究員認為「此批文書件數雖然不多，但是卻是至今唯一可見，有關寧波、泉州以及臺灣三地貿易商人的文書。其文書所提及的貿易網絡，遠及印度、呂宋、香港、汕頭、廈門、臺灣各個重要的港口、泉州各港、上海、寧波、膠州、青島、日本等等地區。其充分展現晚清這群以泉州、臺灣為中心的海商集團的貿易實態，殊為珍貴。此外，這批文書有不少與家人、親友的通信，以及部分實用的雜抄，而呈現晚清閩南商人的生活及其價值觀。」因此，《尺素頻通》導讀版的出版與流通，不僅對臺灣經濟貿易史提供了珍貴的第一手資料，彰顯其研究素材價值，同時也大幅提升其教育功能，更為政大圖書館在史料孤本重新出版工作上之第一件成果，具有相當的代表性意義。

另一項經挑選而進行數位典藏的主題館藏是《民俗臺灣》月刊，為在臺日本知識份子所主導發行，旨在介紹、研究臺灣的風俗習慣，於 1941～1945 年期間共發行四十三期，由臺北的東都書籍株式會社出版，每冊約五十頁，常設的欄位包括：卷頭語、民藝解說、臺灣民俗圖繪、攝影與圖說、文獻介紹、書評、亂彈、點心、消息通訊、民俗採訪會、編輯後記等，文章主題涵蓋臺灣常民生活習俗、民間工藝、民間信

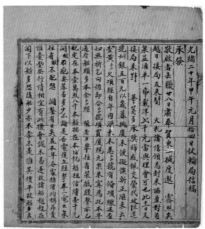

《尺素頻通》信稿彙編紙本原件封面（左）及內頁（右）

仰與祭典、鄉土史及地方誌、民間傳說故事、諺語、歌謠、臺灣語言、社會制度等，共刊載將近兩百名臺籍和日籍知識份子、文化人的稿件。政大圖書館的館藏為戰後臺北古亭書屋所出版的復刻本，雖非原始發行版本，也不是僅存孤本，包括武陵出版社、南天書局及東京的湘南堂出版社都曾各自出版過復刻本，但基於其內容特色具有歷史文化資產與學術研究價值，仍認定為合理的數位典藏對象。

　　《民俗臺灣》月刊的數位典藏是由政大圖書館自主完成，從紙本刊物的數位影像掃描、後設資料欄位設計、資料建檔，到資料庫建置、檢索查詢功能開發、使用介面、內容服務網站等，都是館內人員的專業工

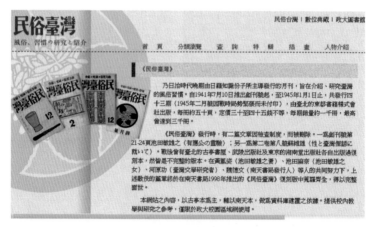

《民俗臺灣》數位典藏網站首頁

作成果，讓本土民俗文化的歷史資產，能進入數位平台而提升其使用效
益。對於圖書館本身的意義，則在於圖書館開始融入資訊技術專業，建
立跨領域工作團隊，擴大專業能力範圍，而能對本身的特色館藏，進行
數位產製與加值工作，在角色與功能上皆是突破性的發展。

二、政府官職資料庫

主題資料庫的設計、開發與服務是圖書館發展特藏的另一種形式，
政大圖書館選定政府官職人事異動為主題，從總統府公報刊載官員任免
命令之文件中，針對官員的任命及免職資訊，以後設資料摘錄蒐集，而

不同時期之總統府公報所刊載之官員異動命令

成為官員異動之主題資料庫。相較於數位典藏是以數位影像複製的方式保存史料文件的閱讀樣貌，主題資料庫是摘錄文件中的特定主題關鍵資訊，以精細的欄位資料為資訊組織單元，而彙整大量相同主題的資訊於資料庫中，因而可以透過數位技術的協助，進行多面向、多角度的資訊切割與整合，不論是在特定條件下的搜尋瀏覽，或是更進階的資料探勘與發掘，都可以有效支援學者開創以資料為核心的實證分析研究。

　　政府官職資料庫以各時期總統府公報之人事異動命令為建檔依據，在時間跨度上，涵蓋中華民國建國以來歷史沿革下之各期政府；在職務體系上，包含文官、軍警、使節、醫衛及簡任以上公務人員；在機關組

特定官員之查詢結果

織上，概括中央機關與地方政府官員，資料內容豐富而全面，不僅反映政府官職制度的內涵與行政組織架構的變遷，更具有重大的歷史文化意義。資料庫首頁介面提供任意詞或官員姓名或職務的搜尋檢索，搜尋結果的資料，包括各筆人事異動命令之姓名、公報命令日期、任命或免職、異動原因、異動紀錄的機關、職等與職稱、公報期數等資訊，並可查閱該筆資料刊載於公報文件原稿的全文影像檔。特定官員的查詢，可串連呈現特定官員之政府部門職務經歷及異動時間。特定職務的查詢，可綜觀特定職務的歷任官員。政大圖書館長期發展維護此資料庫，內容涵蓋從民國元年至今，橫跨百年以上的歷史縱深，已累積超過九十萬筆

特定職務之查詢結果

資料，並定期持續更新，是國內少數完整記錄中華民國政府官員任職動態的公開性資料庫。

　　主題資料庫之重要意涵為以結構化方式，記錄主題核心資訊，讓從大量文件中摘取出的特定資訊能依需求檢索分析，提供精準而快速的資訊取用，而有助於議題的新證據與知識的新發現。透過主題資料庫的發展，過去大量紙本文件中的資料，將不再對使用者造成資訊取用的門檻與障礙，結構化的資料記錄方式，讓不同面向的資訊能被拆解切割，再依照不同的需求進行多維度的串連整合，而能提供各種角度便捷的檢視分析，資料內容的時間跨度亦將提供時空背景的觀察比較空間，而能大

幅提升人文社會科學的研究素材來源與資料分析能力，進而開啟許多新的研究機會。

　　主題資料庫的建置工作展示了圖書館扮演資料產製者與資訊加值角色的可能性，尤其在掌握各式主題性資料館藏的條件下，可以主動積極開發轉化，善用資訊技術，結合跨領域專業，致力於數位時代的資料徵集與資訊組織，幫助過濾篩選並統整大量零碎資料，而發展出開創性的資訊價值鏈。圖書館的主題資料庫開發能力與產出服務，不僅發揮了直接蒐集原始資料與資訊組織加值的專業技術，提供揭露隱藏在大量文件中的客觀事實之可能性，而有助於學術研究價值與社會公共利益，更能有效提升自身做為數位時代學術資訊服務機構的競爭力與新定位。

三、臺灣政治與社會發展海外史料

　　第三種發展特藏的途徑是主動徵集潛在未來史料，部分當代手稿文件或紙本刊物可能是未來的重要歷史文化資產，尤其是僅存少量或甚至是唯一原件的紙本，如果沒有任何單位採取體制性的徵集與保存行動，這些未來史料可能隨著時間而逐漸流失、不復存在。政大圖書館在啟動特藏發展的過程中，透過與臺灣文學研究所陳芳明教授的互動，得知一批在臺灣威權時代發行流通於海外的政論性刊物的存在，經館藏政策專業認定為有價值的徵集目標，而開始進行系統性的徵集保存工作。這些

海外政論性刊物史料原件

非正式出版的紙本刊物當時主要的流通社群為海外的留學生與同鄉會，因此僅少數曾經被個人攜帶回臺灣，大部分仍留存於海外，而且正面臨時空環境變遷而被棄置損毀的風險。因此，政大圖書館的徵集工作首先要能突破史料來源的不明與徵集對象可能的互動隔閡等問題。所幸，透過陳芳明教授的協助，同時以陳教授所藏刊物為起點之數位典藏專業成果呈現的基礎上，徵集工作的接觸面逐漸打開，而開始聯繫與拜會國內外藏有刊物史料的個人與單位，甚至由館員前往美國與徵集對象洽談，獲得收藏者之同意，或捐贈資料或出借給圖書館進行數位典藏，而直接攜回眾多刊物史料，使得徵集範圍與收錄內容更趨豐富。

　　這批海外刊物的特藏發展除了紙本原件的徵集保存之外，更同時展開數位典藏與資料庫建置的工作，以方便使用者能於網路上公開近用。

「臺灣政治與社會發展海外史料資料庫」網頁

基於著作權法之保護，圖書館更需針對每篇文章，積極爭取作者或家屬之授權同意公開，而許多文章當初是以筆名或匿名發表，作者真實身分之查核與確認、信件往返與登門拜訪等，都是整體特藏發展工作的一部分。經過政大圖書館的持續努力，「臺灣政治與社會發展海外史料資料庫」於 2011 年 10 月公開發表，收錄 1950 ～ 1990 年代臺灣人民於歐洲、日本及美國等海外地區所發行的政論性刊物，其後更陸續獲得學者與社會先進提供各自所藏刊物，使資料庫收錄刊物更趨完整。至 2019 年為止，收錄 144 種刊物計 3,274 期，26 種書籍，後設資料建檔 8 萬 4 千餘筆，掃描 20 萬餘影幅， 並製作 3 種刊物之電子書 631 本，獲得 84 份

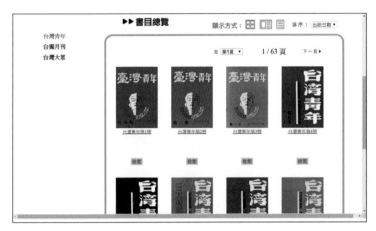

《臺灣青年》刊物電子書

授權書與 5 種刊物的電子書授權。資料庫之使用方式為已獲作者授權之文章,可直接線上閱覽全文;尚未獲得作者授權之文章,僅提供書目查詢,全文內容影像則限制於政大圖書館館內網路範圍使用。

　　歷史存在於史料之中,臺灣人民共同走過的自由民主道路需要保存,以傳承世代間的珍貴記憶,並以歷史記憶凝聚認同;歷史更需要解讀與認識,讓後代子孫能在歷史中得到啟發,進而提升文明的價值。臺灣從專制威權到自由民主的演變過程中,海外臺灣人民在僑居地資訊充分與言論自由的條件下,本於對故鄉的濃厚情感或是社會發展的熱切期許,自發性的以非正式出版刊物,做為彼此情感交流及理念激盪的園

地，曾經對臺灣政治制度的改革扮演著重要的角色，包括思考、辯論、發聲、啟迪，這一段歷史縮影記錄於當時海外臺灣人民所發行的政論性刊物，實為臺灣研究重要史料。然而這些刊物發行量少、資料散佚、國內罕見，隨著時空環境的轉變，已經面臨逐漸流失的嚴重危機。政大圖書館著眼於這批史料內容意義的獨特性、歷史價值的珍貴性及蒐集保存的迫切性，乃以特藏發展目標積極投入，將這些經由時間沉澱累積的海外史料完善保存及數位化使用，提供學術研究素材及推廣應用，除了善盡大學圖書館的社會責任，更充分發揮學術資源開發與服務的功能。

四、孫中山紀念圖書館

　　孫中山紀念圖書館原為國民政府為紀念孫中山先生而於 1927 年成立於南京，其後幾經遷徙改隸，至 2003 年則由中國國民黨黨史館管理，但在組織轉型、單位資源縮減的情形下，乃對外尋求更好的安排，以利館藏的存續與學術價值的提升。適逢政治大學相繼成立雷震研究中心及人文研究中心，並與社會科學資料中心之學術資源建置專業，共同發展近現代中國研究基地，再加上政大圖書館發展特藏之能力與成效陸續展現，乃促成雙方開始接觸商議，並規劃可行之遷移改設方案，再經雙方高層代表實地互訪確認合作意願，而於 2012 年 11 月 12 日正式簽約託管。

孫中山紀念圖書館於政治大學重新啟用

　　同時，政大圖書館為接納孫中山紀念圖書館館藏資料之遷入，乃將其管轄社會科學資料中心原存放之中西文叢書及政府出版品搬遷至罕用書庫，騰出館舍後棟三樓與四樓面積約 350 坪之空間，以孫中山事蹟為基調，進行內部設施改造布置，營造濃郁的人文氣息與歷史情感，提供兼具功能性與舒適性之資料保存與使用服務環境。其後，政大圖書館於 2013 年 3 月完成孫中山紀念圖書館之搬遷進駐，並於 2013 年 5 月正式對外開放使用。孫中山紀念圖書館藏書量約計 20 萬冊，館藏來源為

孫中山紀念圖書館館藏空間與閱覽設施

孫科先生「補不足齋」藏書、方東美教授藏書、中山文化教育館、國防研究院、國民黨中央委員會等，館藏特色包括：清末線裝書、民國初年中西文書籍、中國大陸各地地方志、臺灣早期期刊、民國年代國民黨會議紀錄、晚清與民國報刊、抗戰時期宣傳文獻、早期中國共產黨資料、五四運動後新文學作品等。

政大圖書館接管孫中山紀念圖書館後，一方面致力於館藏的全面盤點重新整理及書目資料完整建檔，以完善管理館藏，並增進讀者檢索上的便利性；另一方面，也重新整理出珍貴的特色館藏，尤其是晚清至1949 年之間出版的圖書報刊，在戰亂頻繁時期，能保留下來的圖書刊物非常稀少，而有非常高的學術研究與文物價值。其中，曾經於開幕活動中特別陳列展出的主題館藏包括：

- 晚清與民國報刊：這些報刊記載著中國劇烈變化的時期，包括維新變法、革命，還有五四以後的新文化運動、新文學運動，對近代中國的研究是非常重要的史料。
- 早期中國共產黨資料：有會議資料、重要領導人演講稿、秧歌劇本等，是國內圖書館罕見的，其中有刻鋼板手工油印的版本，這些原件即使在中國大陸也非常稀少，所以非常珍貴。
- 抗戰時期宣傳文獻：是國內僅有的原件收藏。
- 新文學作品：五四運動以後，以反帝反封建為主的白話文學，其

三民主義　中國共產黨文獻　抗戰叢書　晚清與民國報刊　新文學作品

以互動電子書架呈現珍貴館藏史料

孫中山紀念圖書館主題館藏之數位展演

中大都是珍貴的第一版版本，例如魯迅的《吶喊》及郭沫若的《南京印象》，其中記錄到與雷震的互動情形。

· 多國語言版本的《三民主義》：孫中山以文言文著作的版本、孫中山白話文演講稿及親筆修訂的演講本、世界各國語言的版本及臺灣閩南語注音本。

· 《良友》畫報：是中國近現代史上最重要的畫報之一，畫報的特色為以新聞圖片為主搭配文字說明，圖像式記錄 1930 年代左右上海等大都市的生活與社會脈動。其中，1926 年出版的孫中山逝世週年紀念特刊，裡面的內容為以孫中山為中心的圖像記錄，

及少見的宋慶齡照片。

政大圖書館更進一步將這些代表性特色館藏進行數位典藏與數位展演，讓紙本史料與其多元數位版本相互輝映，達成史料活化與推廣之目標。孫中山紀念圖書館的接手管理，一方面代表政大圖書館的特藏發展能力得到外界肯定，另一方面也凸顯出史料的保存與管理，必須與時俱進，階段性的尋求資源挹注，導入跨領域的專業技術，為史料注入新生命，接軌新時代的加值與利用，重新賦予史料的新價值。

五、羅家倫藏書與善本書

羅家倫先生，字志希，1917 年進入北京大學文科主修外國文學，1918 年與傅斯年等人創辦《新潮》月刊，提倡文學革命和白話文運動，1919 年為「五四運動」學生領袖之一，於《每週評論》上發表〈五四運動的精神〉，為「五四運動」寫下歷史篇章。1920 年至 1926 年間，羅家倫赴美、英、德、法留學，鑽研史學、文學、哲學、教育及人類學等。回國後，歷任中央政治學校（政治大學前身）代教育長、首任清華大學校長、中央大學校長、首任駐印度大使、中國國民黨黨史會主任委員、考試院副院長、國史館館長及中華民國筆會會長等要職，為近現代史之代表性知識分子之一。羅家倫畢生熱愛收集圖書，留學歐美時期即

開始蒐藏各類英文、德文、法文出版與中國相關書籍，抗戰前後更以搶救書刊文物之心，在大陸收購各種線裝書、叢書、明清版善本書、國家治理及外交史料。這批珍貴的藏書歷經多年戰亂和遷徙，從南京、重慶再回到南京、上海，輾轉臺灣基隆、澳洲雪梨，最後到達美國西雅圖，由羅家倫長女羅久芳保存於其寓所長達數十年。

　　近年，羅家倫家屬持續與政治大學互動，長女羅久芳於 2009 年 12 月返臺，參加由中正文教基金會舉辦的「羅家倫先生逝世四十週年紀念座談會」，並與政治大學吳思華校長晤談。2012 年 5 月羅家倫次女羅久華返臺，於政大設立「羅家倫先生紀念獎學金」，並參觀社會科學資料中心示範史料數位展演之互動研討室及雷震研究中心。2013 年 5 月羅久華再次返臺拜訪政大，參觀即將揭幕的孫中山紀念圖書館及社會科學資料中心數位展演廳，得知中國國民黨黨史會的重要藏書，包括方東美藏書，現均入藏於孫中山紀念圖書館，由政大圖書館負責管理。2013 年 6 月下旬，羅久芳以電子郵件致函吳思華校長，表達家屬為羅家倫藏書尋找理想歸宿的願望，吳校長則明快回應政大願意接受委託收藏管理羅家倫藏書，並期待政大於史料數位化與學術研究的能力，讓羅家倫藏書發揮更大的價值。

　　政大圖書館於同年 6 月底開始接手聯繫，向羅久芳說明圖書典藏規劃，經數次電子郵件往返討論，確認相關捐贈事務與運送安排。後由筆

筆者於羅久芳寓所中為羅家倫藏書裝箱打包

書箱清冊核對與物流託運

者以圖書館館長身分及館員張惠真 11 月下旬前往美國西雅圖，於羅久芳寓所整理羅家倫藏書，完成書籍清點、建檔裝箱、包覆保護、防潮包裝等工作，共計約 1 萬 3 千餘冊、近 200 箱委託物流公司海運回臺灣，其中明朝與清朝時期的善本書籍約 270 餘冊則由兩人隨身保管，搭機攜回臺灣。另外，透過駐西雅圖臺北經濟文化辦事處金星處長的協助，12月 7 日於西雅圖華僑文教服務中心舉行「羅家倫先生藏書捐贈儀式」，當地僑界熱烈出席、共襄盛舉。

　　政大圖書館將羅家倫藏書納入館藏之後，於孫中山紀念圖書館中以專區設置羅家倫文庫，並逐箱核對清冊、建立索引目錄、分類整理上架。

美洲世界日報「羅家倫藏書」捐贈活動報導

善本書則集中放置於提前改裝預備的善本書室，提供空調溫濕度控制環境，加上嚴密的保全設施及定期盤點查核機制，以專業管理典藏妥善保存這批珍貴的特藏等級書刊與書信手稿原件。復於2014年4月舉行「育才興國：羅家倫先生文物特展與文庫啟用」開幕活動，以數位及實體方式並陳羅家倫文物及善本書，羅家倫次女羅久華返臺親自見證文庫的成立與啟用。

　　羅家倫一生（1897-1969）處於中國社會動盪不安的時代，親身經歷了革命的動盪與建國的艱辛，以當時知識分子憂國憂民的心情，沿著求學與工作的過程，均完整保存相關圖書史料，長達四十年的藏書，包括歐美留學時期蒐藏之各類英文、德文、法文書籍，以及抗戰前後收購之各種中文線裝書、叢書和明清版善本書，藏書主題涵蓋政治、歷史、哲學、文學、藝術等領域，包括四庫全書與四部叢刊等國學經典、晚清名臣曾國藩、左宗棠、李鴻章、太平天國、雲貴民亂、新疆回捻等國家治理與外交史料、歐美政治社會制度、西方觀點之中國及中國國民黨史

設於孫中山紀念圖書館內之羅家倫文庫

料等。藏書中也不乏梁鼎芬、許地山等名家題贈作品，可感受到當時文人間深厚的情誼。這些清末民初的中西文珍貴書籍，將成為中國近現代史研究的重要學術資產。

羅家倫藏書中最特別的是一批善本書、百年歷史以上之清版線裝書及西文書籍，其中兩本清康熙（1689）與乾隆年間（1795）外國人至中國的西文遊記，將當時中國的風土人情描繪得絲絲入扣，以西方思維

清朝康熙年間外國人至中國的西
文遊記

《東里文集》翻拍

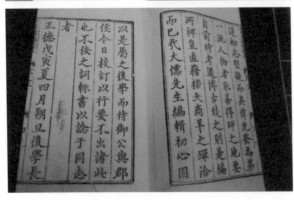

《東萊先生十七史詳節》翻拍

詳細觀察中國社會現象，難能可貴。而此批善本書不乏罕見刻本，相當珍貴。善本書是版本精美的古籍，數百年以前的書籍，數量有限、紙質脆弱，大部分毀損於戰爭、社會動亂、自然災害等，保存流傳不易，日漸凋零，因而稀少、珍貴。中文善本書目前約以清朝乾隆年間（西元1795年）為基準，距離現今至少兩百年以上。羅家倫珍藏的270餘冊善本書皆保存狀況良好，經國家圖書館特藏文獻組前主任盧錦堂先生協助鑑定，種類版本珍貴，具有極高的文化資產價值。其中年代最久遠的為距今超過五百年的《東里文集》，為明正統年間（1436-1449）刊本，明代楊士奇（1364-1444）著，共二十五卷，分為八冊。武英殿大學士永嘉黃淮為文集作序，刊於正統五年（1440）。楊士奇在仁宗、宣宗兩朝和英宗初年甚得朝廷信任，擔任首輔達三十年之久，為仁宣之治的締造者之一。本文集中的記、序、跋、傳、銘、詩、辭、賦等，為研究明代初年的政治、典制、人物，提供了豐富的史料。年代次久的《東萊先生十七史詳節》為明正德十一年（1516）京兆劉弘毅刊本，乃宋代呂祖謙讀史書時刪節備檢之本，卷首冠以疆域世系紀年圖。此版本的特色為刊行資訊印在序頁，非一般刊本手法；經相關查證，此刊本極屬罕見，俱信為現存之孤本。另外，《市南子》為明代李光元著，明崇禎年間（1628-1643）鍾陵李氏家刻本，被列入清代四庫禁燬書目，能流傳保存下來，實屬罕見。刊本書況甚佳，版本或許比故宮博物院之典藏為早。

其他善本書也大都是珍稀孤本或僅存於極少數圖書館中，整體的文化資產價值難以估量。政大圖書館暨社會科學資料中心於 2017 年出版《羅家倫文庫珍藏古籍圖錄》，提供完整的書刊目錄與內容圖示。

　　善本書是人類共同的文化窗景、歷史鏡像與文明印記。除了私家收藏之外，大都以機構為長久歸宿。因此，善本書成為圖書館在人類文明傳承上的神聖任務與終極聖杯，也是晉身世界級大學圖書館館藏的重要門檻，各國重要圖書館及知名一流大學圖書館皆以擁有善本書館藏為尊崇地位之象徵。歷史悠久、學術地位崇高的大學，也大都會在某個發展階段得到善本書的託付。原先私家收藏的善本書託付於機構時，善本書的原主也會為其珍藏瑰寶慎選棲身之地，如良禽擇木，以利於其學術與文化價值之發揚。從這個角度而言，一所大學是否擁有善本書館藏，相當程度的成為其學術地位與社會聲譽的一種古典指標，尤其是人文社會科學為主的學校。羅家倫藏書捐贈對於政大圖書館而言，不僅是確立了特藏發展的里程碑，更是以特藏啟發後代學子求知的心靈、傳承精煉的真理、創造更多文明福祉的重要符號象徵。

意涵與經驗

　　政大圖書館的特藏發展策略，在缺乏傳統優勢資源的條件下，以新

世代資訊技術的導入為主軸，從數位典藏與主題資料庫切入，逐步開發特色館藏類別與資料徵集來源，進而延伸到紙本原件的入藏管理。在數年的專業成長過程中，一方面以數位與紙本雙軌並進、相互加成的模式，主動深耕學術推廣，產生特藏價值的新綜效，另一方面也逐漸建立特藏能力的專業聲譽與社群信任，而能開花結果、廣開善緣。政大圖書館從 2007 年以任務編組的方式啟動數位典藏專案，2008 年調整組織架構成立數位典藏組，設定任務目標與配置專責人力，啟動特藏發展的館務發展政策，到 2018 年更名為特藏管理組，不僅正式進入特藏發展的殿堂，更是宣告長期的利基主張與責任承擔。從政大圖書館的特藏發展歷程，可以總結以下經驗：

- **善用新科技、開創新局面**：不論是數位典藏或是主題資料庫的發展皆是圖書資訊學與資訊科學的結合，以更完善的專業技術進行史料加值與資料內容產製工作，一方面承擔了歷史文化資產保存的責任，另一方面也提供了更豐富的史料使用價值，進而協助從資料、資訊到知識的價值鏈，能更有效的轉換與提升。這些開創性成果則促成珍貴紙本史料來源的開發與成功徵集，形成能持續正向循環、強化成長的特藏發展。

- **守護史料、奠基學術**：近現代史料的徵集，就其內容主題、來源性質、捐贈者身分、捐贈機關屬性等，難免產生政治立場定錨或

政治形象聯想等議題。然而，圖書館發展特藏的核心信念就是守護史料，不論其主題或來源，是否連帶政治象徵；圖書館發展特藏的核心目標就是奠基學術，讓妥善保存的史料，能成為學術研究的中性素材與客觀證據。唯有堅定的信念與專業的態度，能讓在政治光譜不同位置的各方都成為圖書館的合作對象，也讓圖書館的特藏主題更加多元豐富，而更強化以學術為依歸的定位。

- **主動出擊、打造信譽**：直接從事學術研究的大學教師及研究員是最熟悉史料的一群人，圖書館在大學社群中，應該積極和教師密切互動，主動建立合作關係，讓史料擁有者或關鍵媒介者，能信任圖書館的特藏目標與特藏專業，才能展開特藏的徵集與管理。信譽的建立並非一蹴可幾，唯有依賴專業成果的累積及持之以恆的耕耘。因此，圖書館必須認真的開發每一件特藏專案，讓成績單成為自己的推薦信。

- **雪球效應**：當圖書館發展特藏的結構性條件逐漸形成，包括組織資源配置的確立、館員專業養成、實體與數位雙軌技術的掌握、系統化流程的成熟、績效實力的提升及信譽的彰顯等，圖書館的特藏資源網絡將開始擴張，產生更廣泛的連結，主動或被動合作的徵集對象，從大學社群內部延伸到校友、社會大眾與外部機構等，徵集史料的主題內容也將更豐富，而帶來更堅定的責任承

擔、更充沛的能量泉源及更深厚的學術價值。

總結而言，大學圖書館發展特藏的兩大意涵，首先是自身價值的提升，以珍貴史料及主題資料庫，擴大圖書資訊的專業貢獻，扮演的功能角色從資料的蒐集、保存、管理、服務，延伸到設計與生產，打造出更完整的學術資訊價值鏈。其次，是承擔起歷史文化資產守護者的社會責任，一方面提供完善的保存環境與管理機制，減少私人史料因難以負荷或無意承續而造成的消失損毀，另一方面則可結合大學社群豐富的知識領域，共同協助學術研究的開創與公共利益的提升。然而，特藏發展需要有長期穩定的人力、經費與空間設施，對於大學圖書館而言仍是不容忽視的負擔，若能積極爭取全民的認同，加上政府資源及企業贊助等經費挹注，將更能彰顯其長期效益。最後，如何讓特藏從靜態的維護與少數人的學術研究，經過適當的轉化，連結到公民文化涵養、普及教育、文化創意產業，讓更多人受惠，讓投入的成本與資源效益提升，創造更健康的投資報酬循環，是大學圖書館可以更進一步努力的方向。

第 2 篇

創新突破

第三章 轉型再造

曾經眾生朝聖，一位難求；曾經獨佔資源，風光輝煌；一日環境變遷，潮流轉向，價值遞減，終至式微。再造與重生是唯一的出路。

圖書館是保存人類知識的社會建置，多年來在知識傳承、知識普及、資訊獲取等面向上扮演關鍵角色。然而，當資訊載體、資訊流動機制產生顛覆性的改變，過去圖書館所提供的獨特功能，逐漸被大量數位資源、網路平台及共建共享的內容模式所取代。這些時代巨輪式的衝擊，尤其對資源排擠效應明顯、服務族群自主資訊能力高的大學圖書館及研究圖書館，造成廣泛而重大的影響。2011 年美國教育部研究報告指出，全美大學圖書館面臨每位學生所分配到的預算減少、電子期刊訂閱費用增加、電子書數量及支出大幅成長、紙本圖書支出下降及全職人員減少等趨勢。圖書館普遍面臨許多挑戰性議題，包括：服務定位不明、整體預算下降、使用者大幅減少、館員人力吃緊、服務形態改變、館藏空間不足、被迫與其他單位整併、不受使用者重視、資源價格上揚及課程需求調整等。這些眾多問題反映出現代大學圖書館與研究圖書館經營

的困境，其角色與定位正遭受到前所未有的嚴厲檢驗，對其生存和發展構成嚴峻挑戰。

政治大學社會科學資料中心（以下簡稱政大社資中心）成立於 1961 年，設置之初即是於一般大學圖書館之外，專注於蒐集特殊性研究資料，如文史哲叢書、全國博碩士論文、中外文報紙、政府出版品、國科會研究報告及微縮微捲資料等，以服務師生之學術研究需求，扮演研究圖書館的角色。在早期學術資源稀少及學術傳播條件不足的年代，社資中心的許多館藏資料為全國獨有，成為幾個世代臺灣學子論文研究的重要學術資源基地與共同記憶，因而造就了過去的輝煌地位。到了 2000 年代，政大社資中心的館藏資料不再具有獨特性，功能效益持續降低，服務人數逐年遞減。政大社資中心的存在價值，成為一個必須嚴肅面對的議題。本章介紹政大社資中心如何因應時代的考驗，如何轉型再造、重新發展特色功能，從轉型定位策略、功能發展框架，而至具體實踐成果的展現，希望能提供學術研究與實務發展的參考案例，也希望成為社會大眾關切圖書館未來發展方向的共同基礎。

方向

圖書館所面臨的困境源自於長期傳統模式與近期新興型態之間的落

差，而資訊科技的進步所啟動的數位典範轉移，一方面大幅提升使用者的自主資訊能力，另一方面也創造出許多超越圖書館所能提供的資訊價值。因此，圖書館的轉型發展必須思考使用者仍未能自主滿足的資訊需求為何；同時，也應導入新的資訊技術能力，並積極與其他單位合作，投入各自的資源與專業，共同開發更大的、更豐富的資訊價值。在這個整體的策略方向下，美國杜克大學圖書館館長黛博拉‧雅各布斯（Deborah Jakubs）提出具體的發展目標建議：

- **創造知識社群**：使用者有著更加複雜的問題、能力、建議及更高的期望，圖書館必須更加深入瞭解其資訊需求、興趣及行為，以提供更好的服務。為了生存與成長，圖書館在各方面的技能與知識都必須至少往前一步超越讀者。

- **靈活、敏捷與迅速回應**：因應知識領域的發展，圖書館必須快速而有效的回應使用者的新興需求，包括提供不同形式的紙本與數位研究資源、設置科技化教室、創意空間、學習中心等，或與學校其他行政單位、學院與資訊中心等合作，提供多樣化的、科技化的學習服務等。

- **跨學科的挑戰**：對跨領域研究崛起的趨勢，圖書館也必須發展出能跨越學校、學院與學科領域的研究資源與教學服務。館員專業領域與能力的延伸、網路教學平台的應用及具有彈性的預算，都

是所需要具備的條件。

· **推動變革**：圖書館管理階層必須積極推動變革任務，聚焦特定議題或方向，勇於設定目標，並積極展現創造與創新的能力，以引領圖書館走向數位時代。

· **尋求資助**：讓圖書館能完全的進入數位時代的主要關鍵在於充裕經費的投入。除了電子期刊與資料庫的價格持續上漲外，延長開放時間所帶來的相關支出也是一筆很可觀的數字。圖書館必須向使用者與行政決策者證明圖書館的價值，以獲得更多的支持與資源挹注。

· **讓空間發揮觸媒作用**：一棟缺乏良好設計的建築，加上效能不彰的服務，就好像一具空洞的軀殼；用心的空間設計則可促進服務功能的實現與成功。圖書館應持續主動觀察，並聆聽學生族群及其他圖書館使用者的聲音，打造出可滿足現有需求以及未來新需求的服務內容與空間型式。

在此環境趨勢背景下，政大社資中心做為研究圖書館的功能內容與服務方式必須進行改造，以因應知識載體媒介的改變、知識創造過程的改變及知識學習方式的改變。政大社資中心突破困境的方式，為掌握數位化潮流，善用資訊科技，改變傳統工作型態，重新打造新的資源利用

方式,並持續建立重點特色館藏的優勢。另外,政大社資中心也向學校決策層級提出發展願景,積極爭取資源,進行空間改造,並創新服務功能與內容。

策略

政大社資中心的轉型,以創新人文社會學術資源服務為核心目標,以深化利用與體驗學習為理念,以前瞻資訊技術為工具,整合特色實體館藏及數位化資訊媒介,發展數位內容資訊技術、實體空間設施及加值管理之整合模式,進而開創新型態之人文社會科學研究圖書館。啟動轉型的發展策略分為產製、互動、科技、空間及服務等面向:

・**產製**:數位時代的圖書館必須發展數位資料產製的能力,包括數位資料的蒐集、組織、利用、加值等。因此,資料產製的能力目標包括:(1)主題資料蒐集與建置的標準流程,及其資料庫系統開發;(2)便利而完善的管理分析工具,及整合性的資料管理平台;(3)跨學科專業領域的團隊合作模式;(4)建置資料的智慧財產權管理;(5)多媒體影音數位內容設計與製作。

・**互動**:數位時代圖書館的資源利用必須能以即時互動模式,輔助使用者的探索式學習及統整性分析,開發深度之數位資源利用模

式，如問題情境模型及資料分析策略與流程，提供使用者更高度知識導向的研究決策素材及工作模式。因此，資料互動的能力目標包括：（1）以資料視覺化方式，協助使用者對數據資訊的意義解讀；（2）以圖像化工具及實景實驗環境，輔助教學研究之實作演練；（3）以資訊整合利用與多人檢視環境，提供協同學習。

• **空間**：數位時代圖書館的空間型態必須能融合數位裝置、數位資源及人與資訊之多元互動模式，打造出情境模擬、決策分析及體驗學習之場域。因此，空間改造的目標包括：（1）領域專家情境塑模與探索分析之研討空間；（2）融合實體展出與數位內容呈現之小型展示空間；（3）全方位資訊整合與包覆體驗之大型數位展演空間。

• **科技**：數位時代的圖書館需要導入數位科技應用的能力，從軟體、硬體到資料內容的整合規劃與系統開發，以提供各項功能整體運作之技術支援，主要的科技能力目標包括：（1）統整主題資料庫之資源類型及異質系統介接標準；（2）資料庫相互連結、整合應用之開發標準；（3）資料視覺化呈現之常用模型及標準流程；（4）巨觀及微觀資料分析之回饋支援。

• **服務**：數位時代的圖書館必須展現新型態的服務功能，建立與使用者更直接、更深入、更多元的互動模式，與學術社群共同探索

數位資源的豐富形貌與利用價值。因此，服務能力的發展目標包括：（1）與領域專家建立夥伴關係，共同發展特色資源；（2）建置實體原件保存設施，提供數位複製與利用；（3）協助新型態之教學與研究利用；（4）推廣資訊獲取與情境體驗之會議型態。

政大社資中心的轉型，以數位時代圖書館發展的實驗基地為自我定位，在實際執行轉型的過程，以善用數位科技為核心，強調空間設施與資源內容的整合互補與多元連結，以創新思維與實踐檢驗，改造研究圖書館的面貌與內涵，以期促進人文社會科學知識的開創發展及深化學習。

成果展現

從 2009 年到 2014 年間，政大社資中心具體實踐轉型；在科技方面，引進資訊技術及數位內容等專業人力，發展自主之數位應用技術，建置跨領域專業團隊，擴充多元數位資源發展能力；在空間方面，逐年階段性局部更新已有三十～四十年歷史的老舊館舍建築，以創意思考改造空間功能，引進大型視覺呈現設施，營造包覆體驗氛圍；在互動方面，強

調資料連結與使用者需求的動態對應，設計更多元的資訊組織與資訊內容呈現方式，讓使用者主導資訊探索與資訊接收的過程；在產製方面，建立資料價值鏈各階段的工作能力，包括第一手資料的蒐集、資料組織、資料庫建置、平台整合管理及資料呈現等，進而總成為數位內容之自主開發能力；在服務方面，強化與校內各單位之合作，從學術資料需求之掌握，到學術活動與學術研究之實質協助，扮演夥伴角色，擴大服務之面向與深度。社資中心經過五年的發展，架構性轉換能力逐步到位，在專業、內涵及形貌等層次上徹底改造，重新形塑了數位時代的人文社會科學研究圖書館，其整體運作效益則展現在徵集、典藏、展示及應用等四大面向的具體成果。

一、徵集

特色館藏之徵集、保存、利用仍為研究圖書館之重要任務，政大社資中心早期之特色館藏，如全國博碩士論文、聯合國暨國際組織及國內外政府出版品、中外文報紙、微縮微捲資料等，隨著時代變遷而利用價值逐漸降低，必須建立新的特色館藏。啟動轉型之整體成效，受到校內外各界肯定，因而帶來珍貴史料檔案之委託與捐贈；另外，亦挖掘主題資訊史料來源，獨立自主建置可供檢索分析之電子資源，開發學術使用價值。部分實際成果，包括孫中山紀念圖書館的接管設置、羅家倫藏書

授贈與文庫設置、中華民國政府官職資料庫設計開發與服務等，詳細內容請參見「特殊館藏」篇章。

二、典藏

　　人文社會科學研究資料具有原始性、累積性及長效性，必須長時間保存，以促成相關主題學術研究之發展。研究圖書館的基本定位也是立基於滿足此基礎需求，但在典藏空間、典藏方式及使用模式上，必須與時俱進，提升功能成效與品質。政大社資中心的史料徵集與研究資料典藏功能，同時開展於現代化空間設施及數位化存取平台上，包括依照資料價值與資料使用頻率調整館藏空間、局部更新空間設施、建置具推廣教育與研究使用效益的數位典藏系統平台及學術資料庫平台等。部分實際成果如下：

- 孫中山紀念圖書館閱覽空間設施：政大社資中心後棟三樓與四樓面積約 1,155 平方公尺之空間，原存放中西文叢書及政府出版品為主。為因應接納孫中山紀念圖書館館藏資料，原館藏資料遷移至罕用書庫，空間騰出後，進行內部空間的修繕改造與傢俱更新，以提供兼具功能性與舒適性之資料保存與使用服務環境。此批館藏原僅留存早期紙本式目錄數本，原國民黨黨史館的線上目錄也已停止維運，政大社資中心接管後，即致力於館藏資料的全

孫中山紀念圖書館閱覽設施

面整理及書目建檔，以提供讀者檢索利用的便利服務。

孫中山紀念圖書館典藏之珍貴書籍依資料放置樓層分別為：孫
科補不足齋藏書和方東美教授贈書位於三樓；中山文化教育館與
國防研究院藏書放置四樓；中國國民黨中央委員會藏書則分布於
三、四樓兩個樓層。整批館藏於 2013 年 3 月完成搬遷改置，並
於 2013 年 5 月正式對外開放使用。部分特色館藏包括：（1）《三

民主義》多種語言版本；（2）《宋史》：為孫科先生補不足齋
蒐藏的珍貴善本，為明成化本，即明嘉靖年間的補抄本，距今約
五百年；（3）《汲古閣刊本》：「汲古閣」是明代最大的私家
藏書樓和刻書機構，《汲古閣刊本》係孫中山紀念圖書館重要古
版藏書；（4）《新約聖書》：係國父孫中山先生同鄉孫智興贈
予國父元配盧慕貞女士之書；（5）《總理奉安紀念冊》：為孫
中山先生奉安南京中山陵之照片集；（6）《革命逸史》：為作
者馮自由致贈孫科先生之書。

- 善本書室：政大社資中心為妥善保存書信手稿與特藏書刊，改裝
  部分空間為善本書室，建置空調溫濕度控制及專業管理之典藏環
  境，以提供持續擴大徵集珍貴史料之有利條件，目前保存之史料
  以羅家倫先生文物及善本藏書為主。

- 數位典藏與學術資料庫系統平台：傳統的數位典藏與學術資料庫
  系統大多針對單一特定主題建置，隨著典藏主題與研究主題資料
  的新增，個別開發系統數量亦逐漸累積，不僅開發維護成本高，
  亦有資料孤立及內容欠缺連貫整合的問題。另外，隨著跨主題研
  究及跨學科領域研究已成為時代潮流，傳統的單一資料庫內容通
  常無法滿足跨領域研究的學術需求。因此，資料庋用（data cura-
  tion）的議題開始受到重視，在生產學術資訊與知識的一連串過

善本書室空間設施

程中，逐漸扮演著關鍵性角色。資料庋用不僅只是數位保存和數位典藏，更涵蓋研究社群與資料資源之間的密切互動。因此，政大社資中心以資料庋用為核心概念，針對具有學術研究價值的資料，進行數位化保存、維護和加值，建置值得信賴的數位典藏與學術資料庫，以利現在和未來的使用。

在工具方面，政大社資中心引進一套包含儲存、管理、呈現及以視窗化為基礎的數位資料管理公用平台系統，對內用以儲存並管理各資料典藏單位的數位資源內容，對外則提供公眾使用服務。此系統易於匯入或鍵入各單位既有或新建的數位化資源，包含論文報告、報紙、書籍、地圖與影音資料等各類型物件及各種影像音訊檔，並提供動態的使用者介面，除了文件的全文搜尋之外，使用者可以利用單一主題或在平台系統上的多個主題，於單一欄位或多個欄位中執行整合查詢檢索。此平台系統增進了數位典藏資料的徵集與保存效率，並透過網頁呈現多種典藏資料，提升公眾或讀者的近用性，讓單一主題內容展現獨特性，而仍能保有平台整體的一致性。

三、展示

創新展示能力為現代化研究圖書館的重要發展面向，透過大型公共空間的獨特資源，提供群眾與實體及數位資源多元互動的場域，重新定位與強化圖書館的空間功能性。政大社資中心以老舊館舍的局部空間，進行前瞻空間功能的設計與大型顯示設備的引進，打造出融合人文與科技氛圍的知識活動場域，展現研究圖書館的新生命力。另外，政大社資中心也建置了數位內容的自製能力，突破傳統紙本資料的平面單向資訊管道，以圖文影音的整合性媒介內容，提供更豐富與更強烈的資訊傳播

數位資料管理公用平台系統內容建置與公眾使用服務

效能，從主題性素材蒐集、數位化加工產製及多元呈現模型，到結合空間設施特徵的內容規劃，完整實現策展功能，開創研究圖書館的新利基。部分實際成果如下：

- 互動研討室：以老舊行政辦公空間，重新規劃為互動展示及會議活動複合空間，以學術資料互動使用展示及無紙化會議研討為主要目的，設置包括桌上型、壁掛式及牆面式等大型觸控互動顯示設備，並提供可彈性組合之傢俱。此空間於 2012 年 3 月完成改裝啟用，成為人文社會學術資料視覺化互動呈現與創新研討活動之實驗場域。

- 數位展演廳：以提供微縮微捲資源檢索服務之老舊空間，重新設計為會議活動接待及人文社會資料內容展演之用途，建置更大型之影像顯示設施，打造包覆式感知體驗之場域。廳內空間兼具會議活動及展演功能，包括前方超大型之主視覺牆面，加上劇院音響，呈現具震撼力之內容；後方則為數位內容與實體物件混搭展示之牆面與書櫃，營造虛實互補體驗之環境，可容納會議 70 人及演講 150 人。廳外則為迴廊式展示空間，提供多元形貌之數位內容，以大型互動與沉浸方式展出。此空間於 2013 年 5 月完成改裝啟用，前瞻創新之人文科技氛圍，成為政大重要活動與外賓接待之重點場所。

‧民國史料館暨名人書房：基於史料徵集之成果及空間改造之成功創新，促成民國時期重要人物之後代子孫先後將其先人之藏書與史料文物，捐贈政大庋藏管理，如羅家倫、胡宗南及陳大齊等。政大社資中心乃於三樓挪移部分罕用館藏空間，規劃建置以民國史料為主之展示空間，設置展櫃、書架、數位看板、投影牆及浮空投影等兼具傳統與數位的內容展示設施。此新型態之展示空間於 2014 年 1 月完成改造啟用，可同時展出史料文件等實物與多元型態之數位內容，將傳統展覽方式透過新穎的資訊呈現技術重新詮釋，讓參觀者對史料產生更豐富的感受與更深入的認識，同時彰顯政大社資中心史料徵集的加值應用能力。

四、應用

研究圖書館啟動創新轉型，發展出產製、互動、科技、空間、服務等架構性能力，並具體實現徵集、典藏、展示等成果後，即總結為開創多元應用之整體性功能。政大社資中心於完成轉型之後，成為學校各項重要活動與外賓接待之場所，並以主題策展方式，搭配活動內容，展現政大人文創新之能力與成果。活動類型包括學術發表會／研討會、教學工作坊／研習營、參訪交流及視察評鑑等。另外，整體應用成果之累積，亦產生其他各項功能逐步延伸與深化之正向循環效益，如徵集範圍之拓

孫中山紀念圖書館啟用揭幕活動

孫中山紀念圖書館揭幕啟用館藏特展

土耳其安卡拉大學校長訪問團交流接待

陳芳明教授講座暨手稿數位典藏發表會

教育部頂尖大學計畫評鑑委員訪評

胡宗南將軍文物特展

展、典藏層次之提升及展示成效之擴大等。部分重點活動應用成果包
括：2013 年 5 月孫中山紀念圖書館揭幕啟用、2013 年 6 月監察院文化
教育委員會訪視、2013 年 7 月土耳其安卡拉大學校長訪問團交流接待、
2013 年 10 月我的書寫與閱讀——陳芳明教授講座暨手稿數位典藏發表
會、2014 年 1 月教育部頂尖大學計畫評鑑委員訪評、2014 年 3 月鼎柱
民國——胡宗南將軍文物特展、2014 年 4 月育才興國——羅家倫先生文
物特展暨文庫啟用、2014 年 5 月文學五十年‧政大六十年——尉天驄

羅家倫先生文物特展暨文庫啟用

尉天驄與戰後台灣文學發展講座及座談活動

尉天驄與戰後台灣文學發展講座及座談活動

與戰後臺灣文學發展講座及座談活動、2014 年數位化論文典藏聯盟年會等。

經驗總結

在以紙張為知識載體唯一媒介的時代中，圖書館扮演著保存及傳承知識載體的核心社會功能，資料的獨特性與獨佔性成為圖書館建立社會地位的重要根源。然而，資訊科技與數位資源打破了知識載體的固有疆域，圖書館在知識媒介功能上，無法再仰賴紙本資源的獨佔，而必須善用資訊科技，開創知識傳播與加值上的新利基。政大社資中心的轉型發展經驗總結如下：（1）面對數位時代的挑戰，傳統圖書資訊單一專業的組織在功能再造上有所侷限，必須引進部分新興領域專業，如資訊技術、數位內容及傳播媒體等，建立跨領域團隊，激發創意思考，才能有效開創新局；（2）空間設施的大幅改造是轉型的重要基礎，也是展現前瞻創新的機會，更是彰顯轉型成果的長期資源，必須列為首要任務；同時，空間設施的改造也會對組織的專業規劃與專案管理能力形成考驗，局部性與階段性的進行方式可以逐步提升能力及累積經驗，得到穩定進展的成果；（3）徵集、典藏、展示及應用四大面向的成果可以相互連結，進而產生正向循環；例如，獲得肯定的展示及應用成果可以協

助徵集來源的擴大、資源的挹注及典藏設施的提升；而這些面向的進展又可以促成展示及應用的進階效益；（4）轉型過程中，盡可能與學術單位建立夥伴關係，以專案式服務展開階段性合作，以學術產出價值為導向，連結與整合彼此的專業與資源，有助於得到創新成果並擴大效益。

任何一個組織都會面臨時代的考驗，研究圖書館的未來在於獨特的創新與價值的創造，在轉型發展的過程中，必須勇往直前，探索新的疆界，打造新的典範，累積新的成果，而持續創造自身的功能角色。人文社會研究圖書館可以打造人文與科技融合的空間設施，透過資料與技術的專業整合能力，建立跨領域運作平台，成為人文社會學習與知識創新的場域。更進一步而言，人文社會研究圖書館可以強化數位資料管理與加值專業，建立參與學術研究之能力，協助研究過程中之資料蒐集、重組、分析及觀察，進而共同探索新的研究方法，開拓新的研究方向與研究領域，重新創造出研究圖書館的時代價值。

第四章　視覺化與數位展演

"If you build it, they will come."——當圖書館所能提供的許多資訊，大部分已經轉向網路，圖書館必須打造一個新的場域，吸引讀者的目光，建立空間與資訊整合的新模式，以全新的感知氛圍，提供難以取代的資訊獲取經驗，讓讀者再次駐留圖書館。

大學圖書館為回應數位時代的衝擊與挑戰，積極開拓創新思維，發展空間功能與資訊設施相互融合的新場域，以重新建立圖書館在知識學習與資訊利用上的重要地位。2013 年 *Library Journal* 發表圖書館建築調查報告，美加地區於 2012 年 7 月至 2013 年 6 月之間，共有 14 所大學圖書館完成新建或空間改造計畫，本文介紹三個代表性案例，以彰顯圖書館積極導入前瞻科技應用的國際趨勢。

美國北卡羅來納州立大學亨特圖書館（North Carolina State University，簡稱 NCSU，Hunt Library）於 2013 年 1 月正式落成，為五層樓的建築物，總空間大小約 2 萬平方公尺，贏得 2013 年美國圖書館協會（American Library Association）圖書館建築大獎。亨特圖書館的設計理念是「把圖書館視為一個實驗室（The library as lab）」，讓讀者沉浸在

互動式運算、多媒體創作、大型視覺化工具等，革新讀者使用資訊與解讀資訊的方式。亨特圖書館結合科技設施的核心理念為建置「視覺化、身臨其境的展示、模擬和虛擬環境」，強調實際動手操作，體驗大型視覺化工具的功能，重新塑造讀者研發與分析資料的數位媒介，重視能以多個角度或觀點看待問題。因此，圖書館內遍布許多人機互動的設備，鼓勵讀者善用資訊視覺化技術，成為新知識的創新與應用工具。在大學重視多元化的教學與研究環境的發展趨勢中，北卡州大圖書館認為大型的視覺化工具可成為獨有而強大的問題解決工具，並能探索資料本身尚未發掘的價值，是一項值得開發的領域。亨特圖書館部分重要互動視覺化資訊設施與空間包括：

- 多螢幕視聽放映區（iPearl Immersion Theater）：是進入圖書館第一個重要的數位展示場域，屬開放式空間，由一個大型弧狀的顯示牆展示時事、圖書館或學校的重要計畫，或是校園師生的研究成果和作品等。

- 新世代學習空間（NextGen Learning Commons）：此空間運用了高科技、具備彈性化的使用特性，以提升團體合作學習。重要的科技設備包括有多螢幕合作工作站、多觸點運算觸碰螢幕，以及多個筆記型電腦 co-work 的合作討論小隔間。

- 創意工作室（Creativity Studio）：適用於多種學科領域的教學空

間，可依不同多元教學方式重新進行空間配置，提供高解析度投影機和移動式數位白牆，並配置電腦模擬和虛擬環境的科技設備。

- 教學與視覺化實驗室（Teaching and Visualization Lab）：設計為黑箱劇院（black box theater），讓讀者能沉浸於 270 度三面共 80 英呎寬的投影牆上的內容。此實驗室能滿足多元需求，如重要成果發表、小團體以豐富科技進行互動學習、大型且高品質的視覺模擬化、情境推演模擬、沉浸式互動運算科技、遊戲研究、大數據決策研究、比較社會運算研究等。

美國密西根州的大峽谷州立大學（Grand Valley State University）圖書館為 2013 年北美僅次於最高預算的 NCSU 亨特圖書館改建案，改建總空間大小約 1 萬 4 千平方公尺，以成為校園的智慧型中心為設計願景，改建成一個學習與資訊共享空間。空間改造的一項設計焦點即是讓讀者沉浸在新興技術的探索與互動，圖書館不僅提供數位資訊工具，更應透過觸控互動顯示設施與環境營造，提高讀者對研究議題或新興技術的意識與認知。依此設計理念打造的部分新設施與空間包括：

- 學習小間（Learning Alcove）：為一個小型劇場，可用以展示一系列具創作力及發人深省的作品，得以讓學生自發性參與對話的學

習空間。

- 技術展示區（Technology Showcase）：在此區域內提供創新且前瞻性的技術，讓師生以觸控互動、融入情境的方式，促進教學研究活動，包括 Google Glass 穿戴式裝置、Leap motion 體感控制器、3D 投影虛擬實境技術等。

另外，美國喬治亞州立大學圖書館（Georgia State University Libraries）於 2014 年完成 Collaborative University Research & Visualization Environment 的空間改造計畫，簡稱 CURVE project，建置一個約 300 平方公尺的數位學術中心（digital scholarship center），目標在於連結人、科技、資料和尖端顯示技術等四個核心元素，開創一個適合所有學科領域的師生，能身處於將數據資料視覺化和快速共享的高科技空間中，以促進知識的探索與創新。其中規劃之「互動視覺系統」涵蓋三大部分：

- CURVE 互動牆（interactWall）：具身歷其境、高解析度的大型觸控顯示牆，由 12 個 55 吋超窄邊框液晶顯示器組合而成，解析度高達 11520×2160，具有多觸點、同時多使用者的觸控技術。
- 視覺化軟體與控制器：採用協同視覺化軟體，讓使用者方便以大型觸控螢幕或個人電腦裝置等分享、協同處理視覺化的資訊。
- 4K 超高解析度工作站：以光纖連結 interactWall 的 84 吋 4K 解析

度互動觸控螢幕，提供給需要更高階解析度的小型研究團體。

　　這些近期的圖書館新建或空間改造成果，都反映了一個強調空間設施與視覺化資訊技術結合的趨勢，讓使用者能共同沉浸接收視覺資訊，激發更深入的認知與想像，促進人與資料及人與人之間的互動，創造全新的教學研究活動成效。這也呼應了美國學者傑佛瑞‧揚恩（Jeffery Young）的觀點，認為對大型視覺研究（big-screen research）的投資，是一個大學圖書館對數位資訊建設投注心力的重要象徵，其中的具體目標為透過大型視覺設施與資訊互動技術，將傳統上紙本、平面、靜態的資料，轉變為能動態互相串連的多媒體數位內容，並以人為中心的參與式使用及互動式展示活動，促發使用者的視覺思考與感性創作能力。這種結合資料內容與數位互動技術的創新設施平台，將能突破實體資料的使用與認知限制，以圖文影音全方位互動呈現，改變各領域教學與研究活動溝通與傳遞訊息的模式，帶來多元而深入的感官體驗，並透過使用者的實際操作及參與，發掘了學習者及研究者與資料互動的全新情境體驗與研究能量反饋。此發展趨勢將是大學圖書館致力於推動數位時代圖書館創新服務的重要方向。

國內案例

　　國內各大學圖書館之中，政治大學累積了較多的資料視覺化互動展示空間建置發展成果，尤其是政治大學社會科學資料中心（以下簡稱社資中心）做為一個研究型圖書館的空間改造過程，以前瞻資訊技術的導入，發展資料視覺化技術、資訊呈現軟硬體設備、互動展示空間及主題資料應用四位一體的有機融合，大幅度的改變傳統圖書閱覽空間的面貌與氛圍，帶來全新的資訊流動體驗，可以做為數位時代圖書館創新功能的參考案例。

一、互動研討室

　　政大社資中心為活化利用老舊空間設施，將原先行政使用空間（約70平方公尺）轉化為數位元素與各種學術活動交融創新之開放性實驗場域，在資料利用功能方面，引進桌上型、壁掛式、牆面式等各類大型觸控互動顯示設備，包括 32 吋水晶觸控講台、42 吋 LED 多點觸控桌、50 吋具物體辨識功能之多人多點觸控桌、65 吋 LCD 多點觸控螢幕、160 吋多人多點觸控牆等。這些設備提供數位人文展示之功能，包括文史資料之圖像化、學術數據資料之視覺化、多媒體數位內容等，以觸控或體感互動之方式呈現利用。在空間設計上，則特別著重人文與數位科

改造前（上）與改造後（下）之互動研討室

互動研討室展示參訪、會議、
演講等活動

技融合之意涵，並兼具多種活動之用途，如參觀展示、作品發表、演講、會議研討等。在傢俱規劃上，採用易於組合以利多元活動之使用方式，會議用途約可容納 30 人、演講用途約可容納 60 人。

2012 年 3 月改裝完成後，此互動研討室成為政大各種人文創新活動之先期實驗場所，包括各種文史資料加值展示之發表會、研討會、參訪活動等，如政大雷震紀念館開幕展、政大人文研究中心與中華救助總會及中國國民黨黨史會之合作會議、政大與國民黨孫中山紀念圖書館託管簽約、政大在臺復校第一任校長陳大齊校長之孫陳惟寅教授夫婦參訪、政大前身中央政治學校時期教育長羅家倫之女羅久華教授參訪，以及國際法學大師丘宏達教授夫人謝元元女士參訪等。

二、數位展演廳

基於互動研討室的成功經驗，政大社資中心乃進一步啟動更大範圍的老舊空間改造，從館舍前棟入口大廳（約 70 平方公尺）到後棟原先提供微縮、微捲資源檢索服務之閱覽空間（約 580 平方公尺），結合空間功能與資料運用的創意與想像，透過大型觸控螢幕、3D 投影等設備之設置，結合最先進的資訊展示科技，開創新型態的數位資料展演模式，帶來人文資訊的多元應用及空間利用的活化，展現人文創新的多面向價值。

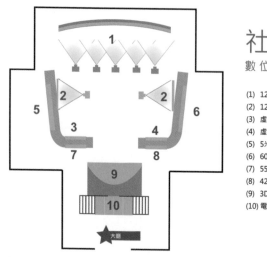

政大社資中心數位展演廳平面圖

整個數位展演空間大致分為：館舍大廳、展演廳、廳外迴廊等三區，並分別設有各類型數位展示設備。館舍大廳規劃為會議接待空間，以拼接高解析度螢幕，提供活動資訊，並可設計觸控動態內容，與群眾互動。穿過大廳進入後棟，則為提供各式學術活動或教學成果發表之數位展演廳，展演廳兩側外圍迴廊，則為動態展示區。

數位展演廳之設計強調透過多元之視覺資訊，傳遞豐富樣貌之人文內涵，相關展示設備包括：（1）廳內正前方寬 12 公尺、高 2.5 公尺之弧形投影主牆面，由五部投影機以融接方式提供大型包覆視覺畫面，可

政大社資中心館舍大廳

切換展演與會議模式，展演模式可呈現寬幅內容之視覺震撼力，會議模式則為多螢幕的同步呈現；（2）廳內兩側各一幅120吋可收式投影螢幕，提供輔助性顯示；（3）廳內左後側兩部42吋觸控螢幕鑲嵌於書櫃牆面，以互動電子書內容與實體書籍交錯，提供虛實資訊互動體驗；（4）廳內右後側以電子相框及實體照片相框組合搭配為展示照片牆，營造虛實視覺整合體驗；（5）廳外左側迴廊牆面鑲嵌寬5公尺、高1.2公尺，由三部投影機以背投影於玻璃牆面，並以融接方式呈現之多點觸控多媒體互動長廊，提供大型互動數位照片牆，或展示時間軸模型等寬幅數位

老舊空間與改造後之數位展演廳

社資中心數位展演廳 側面5公尺背投影長廊

老舊空間改造之數位展演廳

沈浸式 immersive 3D wall

數位展演廳：沉浸式展示

孫中山紀念圖書館揭幕活動：數位
展演廳前方主牆

孫中山紀念圖書館揭幕活動：數位
展演廳中後方空間

監察院訪視活動：數位展演廳之會
議研討使用

土耳其安卡拉大學校長訪問團參觀接待：廳外右後側迴廊透明液晶螢幕展示箱

土耳其安卡拉大學校長訪問團參觀接待：廳外正後方迴廊之 3D 沉浸式虛擬實境

陳芳明講座暨手稿數位典藏發表會：數位展演廳主牆與講座使用

陳芳明講座暨手稿數位典藏發表會：廳內左後側虛實書櫃牆面

教育部頂尖大學計畫評鑑委員訪評政大：數位展演廳之正式會議使用

教育部頂尖大學計畫評鑑委員訪評政大：廳外左側迴廊之多媒體互動長廊

內容；（6）廳外右側迴廊牆面鑲嵌兩部 60 吋 3D 顯示觸控螢幕，具備 3D 顯示功能螢幕，適合展示 Google Earth 等地理資訊模型；（7）廳外左後側迴廊牆面鑲嵌一部 55 吋觸控螢幕，可依不同展示主題，搭配適合影片或照片內容；（8）廳外右後側迴廊牆面鑲嵌兩部 42 吋 LCD 透明液晶螢幕展示箱，箱內可置實物展品，同時搭配透明觸控螢幕上的展品介紹內容；（9）廳外正後方迴廊為寬 8 公尺、高 2.5 公尺之弧形牆面，由三部投影機融接呈現，可透過配戴立體眼鏡打造 3D 沉浸式虛擬實境；（10）大廳正前方牆面鑲嵌拼接四部超高解析度（4K2K）46 吋細邊框觸控螢幕之數位電視牆，透過數位看板系統推播功能，提供各種導覽資訊與互動體驗。整體空間以人文與科技的融合為設計基調，強調人文情境與科技氛圍，以數位互動與沉浸式之大型視覺呈現，營造虛實穿插、交錯互動的場域，實驗數位人文藝廊概念，成為人文創新體驗的環境。

　　數位展演廳改造完成後的第一個重要活動，即是 2013 年 5 月由馬英九總統及政大吳思華校長共同主持的孫中山紀念圖書館揭幕啟用。其後，社資中心陸續主辦或協辦各種校級重要活動，不僅充分展現了轉型的成果，更成為政大人文創新的最佳代表。

三、民國史料館暨名人書房

　　圖書館透過空間的改造與數位展演功能的建立，積極拓展了在人文

民國史料館暨名人書房空間：
入口意象

民國史料館暨名人書房空間：
左右兩側之多元展示媒介

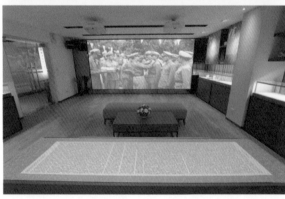

民國史料館暨名人書房空間：
正前方之寬幅投影牆面

創新、史料加值展示與推廣的角色,同時也有助於獲得社會各界的肯定,並促成珍貴史料的捐贈。基於史料加值推廣教育與人文創新展示進一步結合之需求,政大社資中心將原先之館藏專室(約85平方公尺),重新改造為常設之實體史料與數位創新內容展覽空間,並以民國時期重要歷史人物史料為主要徵集及展示對象。此空間之左右兩側設置實體玻璃箱框展櫃,可以放置與保護珍貴展出文物,右側展櫃上方牆面懸掛四座46吋觸控螢幕之數位看板,可以提供更充分之文物資訊,兩者互補成為實體文物與數位內容搭配展覽之方式;左側展櫃上方則為懸吊式書架,提供彈性之實體文物展出用途。正前方為寬5公尺、高2.5公尺之投影牆面,由兩部投影機融接展示畫面;正後方右側之內凹空間則設置浮空投影展示裝置。整體空間營造融合數位科技元素之典雅人文風華,實踐圖書館打造人文創新之活動場域。

　　民國史料館暨名人書房為政大社資中心第三個空間改造計畫,2014年1月完成啟用後,協助政大人文研究中心致力於重要民國人物之歷史資料徵集、典藏與應用研究,先後獲得羅家倫先生、陳大齊校長與胡宗南將軍等人物後輩首肯,捐贈其先人之藏書與史料文物。這些珍貴史料除了提供人文歷史研究素材的價值,更透過文件實物與數位多媒體內容相互詮釋之新型態展覽方式,提供豐富之表現層次與情境資訊,讓參訪者對史料產生更深刻的觀賞經驗,而強化史料之推廣教育功能。後續相

胡宗南將軍文物特展

關活動成果包括：2014 年 3 月之胡宗南將軍文物特展及 2014 年 4 月之羅家倫先生文物特展等。特展活動除了使用數位展演廳舉行開幕儀式之外，為期一個月的常態性展覽則於民國史料館暨名人書房進行，並對外開放，活動成果得到各界肯定。

視覺化內容產出

圖書館建置視覺化資訊設施與公共活動空間後，也必須能自製各種

羅家倫先生文物特展

數位內容，讓原始的紙本平面資料，能被數位加值整合。政大社資中心在轉型過程中，基於圖書館在數位時代的前瞻發展需求，導入跨領域專業整合產出能力，開發出一系列較容易與人文社會領域資料結合的資料視覺化與資訊呈現模型，可供外界參考應用。具體開發實現的呈現模型包括：

- **互動時間軸**：針對特定主題或人物，依照重要事件的時間順序呈現，並結合各事件的象徵圖像，透過觀看刻度的動態調整，觀察不同時間刻度的事件數量，了解各時期事件發生的頻繁程度；並

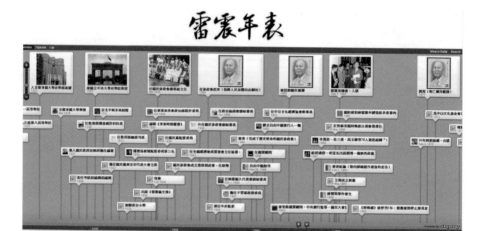

互動時間軸：雷震年表

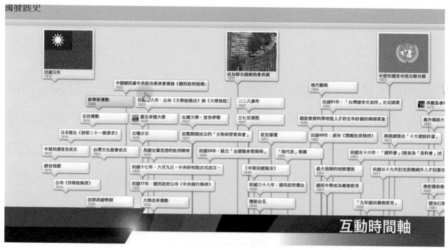

互動時間軸：中華民國發展史

利用移動觀看範圍的互動方式，能位移至特定年代範圍觀察所發生的重要事件，透過點選特定事件則可再進一步瀏覽事件的細節內容，如孫中山大事記、中華民國發展史、雷震大事記、程天放大事記、陳大齊年表與陳芳明書寫大事記等。

- **相片拼貼**：當有主題故事的大量影像資料時，可挑選出一張有獨特代表意義的相片，再透過相片拼貼技術，自動分析其他相片的色彩與亮度資訊，隨機挑選合適的影像拼貼成所指定的代表相片。當手指碰觸某一塊小拼貼時，則可以顯示出其原始相片，使用者能夠在主題相片的氣氛烘托之下，慢慢探索每一張拼貼背後隱藏的故事，這樣的互動過程極具一種探險般的樂趣，使得相片拼貼成為一種簡單但令人印象深刻的影像加值展示模組，例如雷震先生肖像的相片拼貼，引發雷震先生家屬熱烈的情感互動經驗。

- **3D互動書架**：此內容模型可同時並列書籍或文件的縮圖，並以相關描述資訊（metadata）的說明輔助介紹；書架的類型可採用弧形或圓柱體結構，館員建置模型時，只要提供書籍封面圖檔與書籍簡介，便可產出客製化的內容，類似的標準化作業流程訂定，可讓一般不甚熟悉開發工具的人員參與或協助互動模型的開發。展示內容完成後，使用者透過滑動手勢，即可簡易操作瀏覽

相片拼貼：雷震先生肖像

相片拼貼：雷震先生肖像與家屬互動

書架陳列之書籍概況，點選特定電子書的圖案，則可直接帶出此本電子書的描述資訊內容，提供使用者迅速瀏覽大量相關主題書籍摘要之服務。

- **社會網絡**：是一種彙整事物或個體之間關係脈絡的資料模型及其視覺化展示，提供事物或群體的組成樣貌及個體角色等結構資訊，尤其透過網絡圖像呈現及動態檢視，更能引導出提問與探索的資訊獲取與資訊發現。例如，以政治大學教研人員的學術論文共同發表與計畫執行團隊成員資料為基礎，透過社會網絡模型，就可形塑出政治大學學術社群的專業合作結構樣貌，可以具體展現整體教研人員的合作網絡、參與程度、跨專業團隊等社群形態資訊，透過互動式查詢與動態圖形檢視，更可聚焦特定個人或群組，提供觀測大學社群學術網絡的重要基礎。

- **影像內容製作**：結合影像與聲音的影片在短時間之內能傳達的意象要遠比靜態的圖片與文字更具備強烈吸引力，因此圖書館的專業服務也必須擴展到具備影像內容的利用能力，尤其是在資源推廣與公共活動的場合中，不僅能帶來印象深刻的效果，更能凸顯圖書館的專業整合能力，包括與人文歷史、資訊技術、影像傳播等專業的跨域合作與團隊產出。例如，政大社資中心於孫中山紀念圖書館開幕啟用活動展出的中國國民黨會議紀錄檢視 3D 虛

3D 互動書架：政治大學百本專書

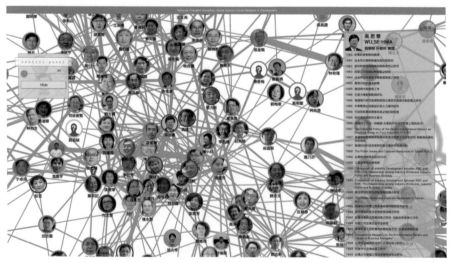

社會網絡動態呈現：以政治大學學術網絡為例

影像內容製作與利用：劇院效果的羅家倫藏書開幕寬景影片觀賞

擬實境，以及羅家倫文庫啟用活動中播映的羅家倫藏書開幕故事
等。

發展經驗與意涵

數位時代的大學圖書館必須發展出新型態的資源利用模式，政大社
資中心以視覺化與數位展演為策略目標，進行階段性空間改造及專業功

137

能創新發展，歷時約兩年半，期間接連主辦、承辦或協辦各種校級重要活動，成為大學校園中的跨領域多元創新活動場域。空間改造是以老舊閒置或使用率低的空間為起點，當創新成果具體展現也接受檢驗之後，再擴大延伸到更大範圍的空間重新規劃利用。在階段性實施過程中，一方面是圖書館自身經驗的累積與專業能力的成長，另一方面也是外界服務對象的共同認證與支持，進而促成後續更多的資源挹注與多元合作機緣。在構思創新空間意象、規劃設施功能的同時，圖書館亦須引進相關專業人力，建立跨領域團隊，發展自主的展示內容設計與開發能力，才能因應資源利用模式、活動目的與主題資料變化之需求，隨時獨立製作或支援相關的館藏主題，而以空間設備及內容展示，具體形塑一個人文創新的場域，透過大型圖像的呈現與互動使用，讓使用者及參觀者感受更直接而有效的人文訊息，進而肯定圖書館的創新能力。

　　政大社資中心開發出各種新型態的人文社會數位資料展示與使用方式，針對各種面向的主題資料，透過視覺化資訊互動模型，建立系統化的組織整合與呈現機制。這些豐富樣貌的數位資料內容，透過大型觸控螢幕進行互動展示，提供截然不同的資料觀察角度與運用模式，讓人文史料以前所未有的方式，更親近使用者的感官認知，激發更多的使用經驗與想像，展現數位化資料更多面向的價值；對社會學科資料，則可協助研究者透過高密度整合與多面向呈現的分析資訊，進行前瞻預測及決

策輔助工作。兩者相輔相成，不僅活化多元應用成果的可能，更進而引導創意思考的研究主題。這些多元的資訊呈現模型實作能力，協助啟動人文社會資料推廣教育與學術研究的創新活力。

　　一般人文歷史的數位檔案資料，包含史料之照片、影片、錄音或檔案、文字，及量化統計數據等類型，其中若干型態之資料若以數字呈現或文字敘述的方式表達，往往在瀏覽與解讀時需要花費許多的心思，或者流於單調乏味，無法引起一般人的興趣及共鳴。若能透過數位創新模式，將之轉化成易於理解及便於取用的內容形態，而以展演的方式進行資訊傳播，同時也從傳統單人單向的靜態模式，進階成多人雙向的動態資訊獲取與利用。以策展活動為例，展出的主題不同、形式不同，圖書館專業人員必須從主題規劃、資料組織、內容設計與製作到實際展出導覽，完成每一次的專案任務，也逐漸厚實專業成長、建立團隊信心與贏得服務對象的肯定。透過這些包括人文史料與社會研究內容之展出活動，圖書館不僅在學術內涵擴散與推廣上發揮關鍵力量，更協助帶動學術社群共同探索人文社會的新內涵與新樣貌，而圖書館的角色與專業也在這過程中得到創新性的拓展。

　　總結而言，大學圖書館突破既有框架的切入點之一，是進行老舊空間改造，建置大型視覺設施，導入資訊互動技術與數位人文內容開發，打造圖書資料創意展示平台，發展圖書館與數位人文領域的夥伴關係，

成為跨領域創新教學與研究活動之重要基地。以政大社資中心的改造為
例，發展大型包覆式空間的群體參與及內容展示功能，能提供資料與資
料之間、人與資料之間、人與人之間的多元互動連結模式，形成多層次
的資訊流動場域。使用者以各自角度的觀看與解讀，再透過群體的參與
激盪，營造相互感染的氛圍與情感認同，進而達成豐富的資訊體驗與深
度的內化，為數位時代的教學與研究創新，提供更多的前瞻發展潛力，
也為圖書館在新世代大學的角色得到具體的想像與期待。

老舊空間改造之數位展演廳

第五章　讀者觀點與省思

　　一般而言，大學圖書館除了提供教學資源、協助自主學習、支援廣泛學術研究之外，亦扮演徵集保存特定領域珍貴史料及深度學術資料的角色。因此，國外歷史悠久的知名大學通常發展出規模龐大、由數十座圖書館所組成的大學圖書館體系，包括提供一般性學術資源及自主學習、以大學部學生族群為主要服務對象的總圖書館，及聚焦特定領域學術資源之徵集、發展特色珍貴館藏、以研究生及教研人員為主要服務對象之研究圖書館，彼此角色功能區隔，共同提供學術發展之基礎設施。例如，美國加州大學柏克萊分校圖書館由四十多座圖書館組成，除了總館之外，最大的分館即是東亞圖書館，為西半球庋藏東亞語文圖書資料最豐富的圖書館之一。

　　然而，從 1990 年代中期開始到 2000 年代中期，在電腦網路普及與資訊技術的快速發展與滲透下，許多紙本資料被數位化或成為資料庫，可以透過網路檢索取用，許多資料已經是原生數位，可以透過網路自由流動傳輸，大學圖書館的館藏資料不再具有資訊取用的壟斷性與獨佔性，資訊服務功能效益持續降低，到館服務人次逐年遞減。美國大學與

研究圖書館學會 2012 年總結大學圖書館的整體環境趨勢，包括：

- **傳達價值**（communicating value）：學術與研究型圖書館必須證明其所提供的服務具備高度學術價值。

- **資料庋藏**（data curation）：隨著各式資料格式持續地改變，除了使資料庋藏工作的挑戰日趨增加，也促成圖書館員與資訊人員密切地合作。

- **數位保存**（digital preservation）：隨著數位典藏的成熟，資料長期保存的規劃問題將獲得更多的關注。

- **高等教育**（higher education）：高等教育機構正處於一個變化的階段，線上教學課程的興起、全球化及對於學位投資報酬率的疑慮等，都是值得注意的趨勢。

- **資訊科技**（information technology）：資訊科技持續為圖書館帶來更多未來性的思考。

- **行動裝置環境**（mobile environments）：行動裝置正在改變資訊傳遞及取得的方式。

- **學術傳播**（scholarly communication）：新的學術傳播及出版模式正在快速的發展，圖書館若不積極參與，勢必面臨邊緣化的風險。

- **人力編制**（staffing）：學術與研究圖書館為因應新挑戰，必須以創新的方式雇用新進人員，或者重新訓練現職人員。

．**使用者行為與期望**（user behaviors and expectations）：超過 90% 以上的資訊需求可以在圖書館以外的地方得到滿足，導致傳統圖書館員的重要性降低，資訊取得之便利性直接影響讀者的資訊尋求行為。

整體而言，全球化的資訊科技與數位資源打破了知識載體的固有疆域，為資訊流動與資訊取用帶來顛覆性的改變，而造成圖書館界的巨大衝擊。全球各大學圖書館普遍反映出創新發展的必要性，因此，大學圖書館的學術服務功能必須重新思考，在知識體系中的角色必須重新定義。大學圖書館如何因應時代的考驗，如何轉型再造，重新發展出無可替代的功能與利基，是學術界與實務界共同關切與持續思考的議題。

在環境變遷的敏銳體察與突破困境的自我期許下，政大圖書館一方面積極展開各種轉型創新，一方面也嘗試探訪讀者的聲音，希望從讀者自身的經驗，獲得以使用者觀點出發的非圖書館本位看法，了解圖書館的服務對象是如何看待圖書館的發展趨勢。在一次深度訪談研究中，共邀請五位不同學術領域的學者，個別進行開放式訪談，透過提問與回應的互動過程，並以數位人文領域的新興發展為引，蒐集受訪者對大學圖書館各自的觀察與解讀，以做為圖書館未來發展的參考。本文歸納整理訪談內容，將受訪者的回饋分為三個層次摘錄總結。

知識本質與大學圖書館角色

基於長達二十年至四十年的使用經驗，受訪者對於大學圖書館的發展過程與服務內容皆有深刻的使用者觀點。受訪者普遍認為大學圖書館的內涵與角色必須隨著時代與社會的進步而有所調整，其中又以數位化的衝擊及所帶來的改變最為顯著。

受訪者 C（史學領域）：

「……圖書館功能原來就是保存管理圖書，可是現在社會已經開始轉變了，我們希望圖書館所具備的功能與角色也開始轉變，我覺得很高興看到圖書館願意做這樣的事情，在我們領先的過程當中，可以加進多元思考，也許我們領先的幅度會更大。」

受訪者 B（文學領域）：

「……我們過去圖書館的一個主要功能其實是儲藏，典藏一些資料，後來圖書館不斷發展，還包含借閱的功能，借閱的方式現在又逐漸開始有一些新的變化，都是為了因應數位化，數位化等於是在借閱的方式很可能會有很大的不同了，而不同的發展我覺得是非常好的，因為等於未來不見得要到現場，也許我們在網路上面就能得

到許許多多的訊息與資料，這當然是很好的。可是我們要想說如果
是可以成真的話，那為什麼我還需要一個空間在這個地方？這個空
間不就是應該轉變成無數的網路空間讓大家去運用這些數據就夠了
嗎？……所有能互動的東西，只要電腦技術能達到的，也許我們直
接在家裡與圖書館互動，如果這真的是未來的發展趨勢，我們還是
要去問：為什麼要有具體的圖書館建築？那這個具體的圖書館存在
的意義是什麼？它的意義是放紙本？恐怕不只有放紙本而已。那如
果說它具有教育功能？那它事實上就跟過去的圖書館的功能稍微不
一樣，因為典藏與借閱當然是教育功能的一環，可是過去的教育可
能是一個被動教育，現在的教育應該是一個主動教育，……必須要
從這裡面結合教學跟研究的人才，去開發展演的內容。」

受訪者 E（圖書資訊學領域）：

「……一般我們想到數位，就是紙本減少、數位愈來愈多，轉一個
角度來看待數位圖書館時，只是概念上幫助使用者運用便利，還是
有很多典藏維持著原有的形式是必要的，我也不認為發展數位圖書
館就要把紙本棄之如敝屣，因為還是有些資料是經典而年代久遠，
就像我們說的特藏，不管時代怎麼進展，這些古籍縱使數位化，還
是被視為珍貴財產被保留，所以我認為數位圖書館的觀念只是『服

務便利化、便利取用』，原有的實體館藏還是需要空間並珍視、保留給後人。……數位圖書館只是一種服務觀念和服務方式便利性，實體館藏還是要保存有價值的傳統媒體資訊。」

部分受訪者提出知識本質與形式轉變的觀察，分析這些轉變如何影響知識的建構、知識的傳遞與知識的使用，也進一步評論大學圖書館如何因應知識典範的轉變。

受訪者 D（傳播學領域）：

「……所有資訊相關的體系都受到衝擊……我去想這個問題，我會去想兩件事：第一個就是說，我們對那個知識的想像是什麼？我認為知識好像也不光是一本書，可能是一篇資料。第二個，資料慢慢地斷碎化，而那個碎片化我覺得有一部分原因是跟網路的性質有關係。我們從碎片化怎麼結合，每個人自己去組裝積木而去產生他未來的知識，如果未來知識的面貌是這樣，而人怎麼用知識。如果是這樣的話，那這邊做為一個圖書館，或是社資中心，也許它的面貌應該不一樣……我認為大學不管是從研究團隊到圖書館，其實都在做一件事。我們在傳遞對這個世界的知識……可是在這個傳達知識的過程當中，有一些根本的問題，因為那個世界是掌握不到的，所

以研究者必須去呈現、表現、組織、分類它。那換句話講呢，在這個過程中怎麼呈現、表現，其實通常也影響了我們對知識面貌的瞭解。而通常在不同的時代會有固定呈現知識的方式，讓我們以為那就是全世界，可是當環境改變的時候，知識的面貌，也開始不一樣。……我的意思是說，當今天在數位趨勢的環境下，那整個社會已經在變化……我的想法基本上是這樣：第一個，知識面貌的改變，包括知識的使用者也在改變，包括他們的位置也在改變，有些人不會來圖書館。但是數位圖書館絕對不是只在於『讓你上網』……因為使用方式改變的時候，很多傳統的用途也都有改變。」

受訪者 A（管理學領域）：

「……圖書館本來的角色就是去買書進來給大家看。我的意思是說，如何在這個過程中間去尋找一個新的角色是很重要的……對於未來的圖書館或者是數位人文的想像都是因為有了一種新的科技，那應該不斷問的就是：資訊科技的出現，對於我們知識的傳播是不是會更有利，或是更快速？同時更重要的一件事情就是，能否幫助我們創造出更多有意義的作品或者是知識，這個其實是應該去問的問題。所以未來我認為在圖書館或是社資中心，應該去不斷問的就是：我們前面那個想像。一方面是，你讓那個所有的平台或者是工

具變得更方便，任何一個老師或者是一個研究者，當碰到問題的時候，可以去用你幫他所設定的環境去處理各種的問題，這是應該去想像的，我的意思就是：今天在家裡可能沒有辦法那麼容易地去用到一個多面電視牆去展現你的內容，但進到那個環境可能很容易就可以展現，那因為你同時展現了很多不同面向的資訊，所以你就很容易去做創造跟連結。」

從受訪者對於大學圖書館受到數位化衝擊的不同面向觀察，本文歸納三種觀點：

- 第一種觀點樂見圖書館因應數位化的新發展，但希望圖書館在發展過程中，能積極與相關學科領域攜手合作，納入學科領域在數位化趨勢下的教學研究需求。
- 第二種觀點提出數位化的長期趨勢將挑戰圖書館建築空間的必要性，並假設如果圖書館不能與時俱進，發展出新的功能角色，其具體存在的意義也將受到質疑。
- 第三種觀點則強調圖書館在因應數位化的發展過程中，仍然必須重視紙本館藏的保存與服務。

以大學圖書館發展的角度而言，這些觀察都是相當具有代表性的聲音，也是必須努力的方向。第一種聲音提醒大學圖書館必須跨出傳統的

疆域，更主動的與不同學科領域互動合作，發展出更進階的教學研究資訊服務功能。第二種聲音則是大學圖書館必須正視的警訊，如果仍停滯不前，有可能在使用者日益減少的情形下逐漸被邊緣化。第三種聲音是大學圖書館經營的考驗，如何在有限的空間、人力以及經費等資源條件下，提供數位與實體的雙軌運作，達成最佳的服務功能效益。另外，受訪者也從數位時代知識的本質與面貌的轉變出發，指出大學圖書館角色必須有所成長，必須省思如何真正協助數位時代使用者的知識使用與知識創造。整體而言，受訪者一致支持大學圖書館的角色創新嘗試，更期待大學圖書館可以在協助知識的連結與創造的層次上，以數位人文展示為起點，展現新的開創。

大學圖書館與數位人文創新展示功能效益

　　受訪者在學術行政或學術研究上參與數位人文領域之發展，並親身體驗政大社資中心空間改造成為數位人文展示平台之各項活動成果，進而提出各自之觀察、功能解讀與效益評估。

　　受訪者 C（史學領域）：

　　「⋯⋯我可以看到他們用不同影音的呈現方式，把這些大家過去沒

有興趣的東西變成生動、活潑、有趣的。我們發現史料是很死的東西，即便很多人看了那封信件史料，也不會知道這是什麼東西，所以一般人沒有辦法親近人文或親近歷史，因為離他的生活經驗太遠了。所以，若圖書館能再從數位互動的方向前進，並跟人文領域多多結合，其實我們可以發現圖書館正在嘗試往這方面邁進，而這是一個很好的開始。」

受訪者 B（文學領域）：

「如果以教學來講，我個人認為在教學方面的成效應該可以很明顯的突出。為什麼呢？因為我們以目前的知識學習狀況主要都是在教室的空間，在教室的空間受限於知識學習的量。坦白說，不如到一個儲藏這些相關資料的空間來進行教學會來得更好，那尤其不管是數位展演廳或是活動討論室或者是民國史料館書房的設計，大概裡面有很多是有陳列的可能性……若空間本身具有互動性質，在某種程度的教學可以讓同學比較印象深刻，可以直接透過類似玩遊戲地翻閱這些書籍，或者是影像的互動增加同學想要了解這些事情的印象，所以我覺得就意義而言：教學的效果應該會有一些幫助。」

「空間改造肯定是有幫助的。不要說別的，從數位展演廳的設置就很清楚可以看得到！當我們把一些重要的資料，經過社資中心或圖

書館的同仁篩選後，我們丟出了某一些我們自己判斷認為應該是對讀者會有興趣，會有意義的一些數據，但這些數據可能是只有一套而已，我們有沒有可能讓它變得很多套？如果我們有辦法讓它變很多套，我們就需要有其他的團隊加入……那這樣一來，在教學上的效果肯定會非常棒，在研究部分也就會產生一些觸發，這部分等於是提供研究生他將來有觸發的可能性，然後就可以去收集更多的資料去產生研究，所以某種意義來講，也許這樣可以引導一些問題意識的產生……」

受訪者E（圖書資訊學領域）：

「當然就空間改造這件事是極度的肯定！把過去的典藏處所變成現在的互動展演空間，其實是一個很好的改變……我覺得目前社資中心的改造立意其實非常好，它讓原來印象中可能是陳舊資料的典藏處所，改換成新的活用方式，以數位做為重建的形象，空間改造的本身是非常好的，讓整個社資中心的觀感改變。」

「事實上互動設計是帶給人一種在觀念上的重新思考，所以對我的學術研究並不是直接有幫忙，它可以促動一些我們自己在研究上間接的觸發……我覺得它會因為在參與這種互動展示的過程得到一些啟發，我也試著讓它和我的研究主題有一些搭配和結合……過去檔

案展覽我只關注都是紙質媒體的平面展覽、甚至是做檔案的複製，我們檔案複製已經做到完全是擬真的，可是這一次就讓我去從數位呈現的方式，看到數位其實可以更吸引人，吸引並開發另一群潛在的觀眾進來，讓他們對過去那種可能不吸引人的紙質檔案有不同的視野……那教學方面，當然就是因為這次的展覽是帶著學生一起做，所以在教學上面就讓學生在檔案展覽的呈現，我們也嘗試做不同的設計，大部分是學生的想法，因為在討論過程裡面大部分是學生自己在想。」

部分受訪者更進一步反思在知識典範轉變的過程中，圖書館的空間改造與創新展示功能所帶來的意義，提出發人深省的觀察與見解。

受訪者 D（傳播學領域）：
「我認為數位人文不是像現在所談的只是做數位資料分析而已……我認為它代表的是一個知識的典範的轉變……其實是代表一個社會人文學科知識轉變的一個契機。它代表的是一個政大未來社會人文科學知識的面貌……像你們現在做這些場地的展覽啊，是代表用一種新的方式去組織知識。」
「如果做學問，是在研究那個現象，然後展現現象中各種不同的面

貌，我們做的就跟你們策展一樣，我們只把一個現象從不同角度去翻來翻去倒過來直的看，看看能展現出什麼……因為整個做研究就是觀看嘛！……這些不同的點能夠有不同方式呈現出來的時候，當然會呈現給學生不同的面貌。圖書館的展現方式因為受到傳統的影響，本來是一個面，只能從這個角度去看，可是今天可以從稜鏡一般地多角度進來，而且更有趣的是：形成了一種數位互動性。……你關心的問題是知識，那當然從教學跟研究，它都有深遠的影響，讓你從不同的角度去看這個現象。」

「我覺得策展有兩個功能，一個等於是面對我們現在所想像的使用者……顯然很重要的一點是要去教育讀者、使用者，去告訴他們今天圖書館裡頭有什麼……所以策展啦，包括相關的活動都是很重要的，這都是圖書館傳統沒有的功能，傳統的話，是我找到了書，擺在這就好。可是現在我得告訴別人"Let me tell you how to use it."。第二個我覺得策展的功能是 Demonstration，我在示範怎麼用。像我看你們的羅家倫策展，一方面它就是個圖書館展覽的活動，可是在另一方面……我覺得好像剛才的教育跟 Demonstration 變得很重要，因為他們才曉得這個要怎麼用。」

受訪者 A（管理學領域）：

「我想不管學術研究或者是從教學的觀點來看，我們會發現，因為數位科技的進步，有幾個功能其實是值得我們去努力實踐的。第一個功能就是互動，因為每一個人不管從研究者的角度或是學習者的角度，心中的問題是不一樣的。而當我們有了一些資料，這些資料怎麼樣能夠很快的回應每一個人不同的問題……而這互動也可能可以讓每一個使用者更個人化，因為每個人對於這個議題喜歡程度不一樣，或者關心程度不一樣。第二個議題是關聯性，就是說，看到甲跟看到乙，當我們看到甲的時候，是不是可以很快知道甲跟乙之間的關聯性是什麼？……就是說當你有一個事件以後你就可以因為這個事件做很多連結……而這個連結會產生更多的效果跟意義。」

「那第三個我覺得，社資中心改造以後它帶來最大的意義就是讓過去的文字現在有更多的圖像化。我覺得影像化是非常重要的。尤其對現在的年輕人來說，他們從小到大都是看電視長大嘛，他們所吸收的訊息其實影像是超過文字的，未來在很多學習的空間，我們其實也應該努力的去把這件事情做起來。所以我的意思是說，我們對於所謂圖書館的概念，我覺得透過社資中心其實有了很多實驗，那實驗是我覺得圖書館基本上就是把一個已經存在的知識放在一個空間裡面，然後別人可以去這個空間取用，所以說圖書館是知識的中介角色，那我覺得社資中心其實是這個知識的中介者，它所扮演的

價值，或者功能是什麼，我們剛才講的互動、連結跟影像化這幾件事情，是很重要的三個可以去努力的事情。」

「當然在這個過程裡面，另外一件事情我覺得很值得去想像的是說，這三個功能會不會以後在電腦前面就完成了，不需要有實體的空間……不過如果我們從這幾年來社資的經驗，我覺得有一件事情是值得去想像的，會發現說，查到一個事實是一種學習，但因為大家的群聚而產生的氛圍是另外一個。所以其實我們未來可以更體會，在那個過程裡面大家會有更多收穫其實是在於人跟人互動的那個氛圍。我的意思就是說，你今天去看這個陳大齊特展的時候，你看到的文物資料或者是文物資料數位化以後的內容是一種，對不對？那麼大家一起去看那件事情，或者在那個過程中間產生更多的互動，其實是另外一個更大的價值，我想這個經驗其實對未來我們在形塑數位圖書館的時候應該可以有很多的啟發。」

本文分析以上的訪談節錄，發現圖書館的空間改造與數位人文創意展示為使用者帶來深刻的經驗，甚至改變使用者對圖書館的認知，並進一步引發對圖書館功能層次提升的期許。本文總結以下幾點觀察：

・以數位互動為主軸的空間功能轉化，得到受訪者鮮明的認知。

　受訪者充分感受多元資訊呈現的生動、有趣，比傳統紙本或單一

平面的形式，產生更多活用的可能，也更能吸引使用者的資訊關
注，激發使用者進一步探索的動機與熱情。

· 以老舊空間徹底改造為大型數位人文創意展示平台的實際成果，
觸發受訪者更深層的思考與洞見，指出在知識典範轉移的過程
中，大學圖書館應展現更積極、更深入的資訊組織、連結與示範
能力，以有助於新世代的知識傳遞與知識創造。

· 數位資訊的多元呈現能力與空間設施的完善搭配，打造出可以彈
性結合實體內容與數位內容的公共展演場域，各種立即回應與共
同參與的互動過程，提升了學習的興趣與效果，為許多領域的教
學研究帶來新型態發展的可能，也更塑造出跨領域合作的平台。

整體而言，受訪者一致肯定社資中心由原先老舊沒落的研究圖書
館，經過創新思維與跨領域專業的導入，打造新型態的數位人文創意展
示空間，開創多元資訊面貌與使用方式，而從原來逐漸式微的觀感，提
升為進步與超越的形象。

大學圖書館與數位人文的未來發展想像

受訪者基於實際體驗空間改造成果及具體評估數位人文展示功能效

益後，進一步提出各自對大學圖書館與數位人文的未來發展想像。

受訪者 A（管理學領域）：

「我是覺得我們應該努力的是，讓那個情境變得很容易使用。那另外一個討論的重點應該是：人機介面或是同時維繫人文跟科技的氛圍。就是說我們怎麼樣能夠確保在大家高度利用資訊科技的同時，去體會那個人氣，或是文氣的價值。我的意思就是可以在家讀書也可以去圖書館讀書，可是在圖書館讀的人會有不一樣的氛圍跟感覺。我覺得那是我們可以在這個過程中間不斷地去感受跟摸索的……未來我們社資中心同仁可以跟更多的老師，而且是不同系所的老師，共同來探索這件事情，就是說那個空間跟資訊的關係喔，我覺得是另外一個值得去想像的一件事情。」

「我們應該知道現在全世界的資料庫已經非常的多了，屬於我們臺灣的資料庫也很多人在建……換句話說，我們一定要有一些自己建的東西，但是我們如何把自己建的東西去跟別人建的東西，可以把它結合在一起，產生更大的價值，我覺得那個事情是值得我們去努力的……由於我們空間環境的設計會讓資料庫內容變得更真實或是更有趣，如果真的能實現的話就代表有很高的附加價值啊。所以我一直覺得說不要忽略空間這個很重要的元素……可以想像能用到故

宮所建的資料庫，或者中研院所建的資料庫。那對一個研究者來講就是一個很大的意義嘛！尤其如果可以用大型觸控螢幕來展現的話，那就有更大的感受，接下來……我建議可能開始去設計小型的數位使用室，就是一兩個、兩三個人嘛，它是一個小的團隊，就是要這些數據資料庫嘛。」

「我覺得社資中心現在接下來一個很重要的工作是去推廣，需要讓更多更多的同學知道我們有這樣的環境，歡迎他們來使用這樣的環境。那另外一個就是說，其實也需要更多的同學或是老師去做合作對象，因為很多事情就是得大家一起去想，比方說我要設計一個小型的研究室，都得真的有使用者進來才能夠推得動嘛！」

受訪者 B（文學領域）：

「其實在人類未來的文明發展過程當中，如果讓所有知識變成數據化的時候，事實上也就如此產生改變，我認為是有可能性的，那當然從一個人文學者來看的話，我們也認為數據的產生、資料的提供仍然需要有解讀者，那解讀者還是讀者本身，還是研究者本身，還是學習者本身，所以他在使用這些資料的時候會有高下能力的判別，因此數位化能夠決定的是某一些比較中性的客觀的呈現方式，因此從這裡面就會延續到我們常思考的問題是：所謂的數位化是把

文本資料變成數據與資料庫的呈現方式才叫做數位圖書館呢？還是純粹只是將紙本資料轉變成數位的資料？那數位化資料在使用時，只是為了不會損壞到原始文件，而讓它不斷地被使用的功能而已嗎？還是加入了其他計算與分析功能？我認為這才是一個在未來發展上可以思考的一個問題，我覺得如果能夠發展到後面那當然是對所有研究者來講是最愉快的一件事。」

「……可以邀請老師們或是同學們加入一個跨領域的合作小組，等於他們提供想法，然後你們把它製作成一個可以被展演互動的資料或是數位的資料，這樣的話就不是只有那一千零一套，我發現很多的展覽通常都是這樣的一個模式，我們有沒有可能讓它變成多樣化的課題，那課題就會形成是依照客製化的需求。所以當使用者需要一些相關的政治材料時，我們現在所存的資料就有一套展演模式給使用者，不管是經濟的、文學的、歷史的，我都有不同的展演模組提供給研究者或老師使用，那這樣一來，在教學上的效果肯定會非常棒，在研究部分也就會產生一些觸發，這部分等於是提供研究生他將來有觸發的可能性，然後就可以收集更多的資料去產生研究，所以某種意義來講，也許這樣可以引導一些問題意識的產生。」

「我認為展演空間事實上是由不同的展演內容所構成的，而這個不同的展演內容可能是一個空間可以有無數個展演內容，那因此無數

的展演內容怎麼被製造出來，恐怕才是我們最大的挑戰，而這部分圖書館的功能就不是只有被動的典藏，它可能就是要去主動的開發議題，主動地跟研究單位和教學單位去做結合，才有辦法去提供多元的服務，這樣下來的話圖書館就變成是另外一種教學單位一樣，那這個是積極功能，而且對於形塑一個學校的風格也許會產生一些幫助。」

受訪者 C（史學領域）：

「可以多一些研討室，或像是研究小間的概念，若是所有的書能數位化，就可以直接在裡面進行研究。尤其如果裡面還能設置可以和圖書館連線的觸控螢幕，幾個老師就能在裡面進行跨界的合作。」

「其實從之前辦過的『胡宗南』、『羅家倫』專題展覽中可以發現：大家還是習慣比較傳統的影像式展覽，我認為還是應該更多元且交互應用這些媒體……並另外找專門學科背景的人來充實數位內容。……我認為，若是要做學術研究，討論的態度是不一樣的……這時候就還是需要專業的學術領域來共同討論。」

受訪者 D（傳播學領域）：

「回到我剛講的數位環境的概念，其實我覺得我們正面臨所有的知

識，包括什麼叫做專業都在重新界定，所謂的界線都開始模糊，所以你們做的策展，專家也未必跟你們有同樣的專業，為什麼？因為專家有時候通常代表的是，簡單來講專家是教你注意什麼地方，什麼不要注意，注意的地方你應該怎麼組織、分類、分析、呈現。今天拿這個策展情況來講，如果你拿一個民國史的專家，他們如果習慣的是過去呈現歷史的方式，他可能就不會喜歡你們這種感覺，從他的角度來講，當他用文字不用圖像的時候，其實在歷史中間有些環節可能就看不到，因為這就代表了不同組織世界的方式……」

「根據我對使用者的想像，我覺得圖書館的下一個目的、功能也會改變，我在想的不是一個靜止的圖書館，或去到圖書館教你怎麼用，我覺得……每個人都能把圖書館變成你的圖書館，只是你怎麼去用它、怎麼去連結它。因為傳統圖書館如果這樣分類的時候，很容易給人一個印象：我今天學地政的，我就應該到哪一個地方去。我相信過去介紹的時候會告訴人家『這個是跟傳播相關的書』。像我在傳播學院，就是這種感覺。幾百號是屬於傳播的書，在那個地方你們覺得很方便，但其實在某個地方說不定也是你們的知識，所以因此我們專業有了侷限，因為你就認為跟你相關的東西就是在那些。可是從剛才那個角度來講，其實社會上很多領域的劃分已經開始模糊，但圖書館本身的 Layout 沒有改變，因為那是一個物理的

空間，未必可以一下子就改變。」

「當數位環境進來以後，你可以發現這幾年圖書館整個表現、很多設備都在想辦法展示圖書館內容是什麼，進一步再展現大學的知識是什麼。而你可以看到這幾年展示的方式有在改變，比方說圖像、影像。數位進來有個好處在哪裡呢？數位其實是點跟點相連結的方式，利用另外一種呈現方式，你可以讓 100 那個 section 跟 500 section 放在一塊，我們等於讓圖書館變成 customized，它變成是一個客製化的，每個人都可以客製化自己的圖書館。」

受訪者 E（圖書資訊學領域）：

「數位人文這件事其實並不是把資料數位化，更深層的意義應該是在數位化之後的資料，能否幫人文學研究提供更多不同以往的研究方法……我們會希望不只是做數位化，而是再多告訴我這麼多的文本資料之間的關係？還有文本內容可不可以給我一些更主要的意象和概念，而這些概念之間，有沒有什麼關聯存在？」

「我認為我們圖書館未來真正要做到所謂對數位人文這一塊，它不會只有文本內容呈現方式的改變，我們目前大部分互動設計只努力做到這個程度。我覺得下一步其實應該要去做文本內容的重構和分析。文本內容的重構和分析並不是我們管理資料或資訊的人可以完

全做得出來,所以我們需要一個跨領域的相關學科學者去分析他的想法理念,他是怎麼讀這樣的文本,我要知道他在讀這個文本時,在乎的是什麼?」

「下一步除了只是辦一個互動展覽讓人感覺到『哇!好吸引人』之外,可不可以有更多的再推進的想法?我覺得可以讓它扮演為研究中心,研究中心不是我們自己去研究資訊技術,而是有不同領域學者的進駐與參與,來對學校已有的圖書館特色館藏,舉例來說,可以選擇性對我們圖書館已有的特色館藏結合學者,試著從館藏內容做出一些東西,慢慢發展個別主題,這將有別於其他目前只專做數位化的圖書館,下一階段我們可以呈現更多內容……可以開展更寬廣的視野。」

從訪談回應的摘要整理中,本文發現受訪者普遍從圖書館空間改造與數位人文創新展示成果中得到觸動與啟發,並提出具有代表性的發展藍圖與未來想像。受訪者的提議可以大致分為互動、服務、參與、角色等四個面向,分別歸納如下:

· 受訪者提到情境、氛圍、探索、想像、觸發、空間元素等幾個關鍵概念,描繪了互動廣度與深度的延伸。使用者與圖書資料的互動跳脫過去的平面與線性,進入到立體包覆與動態連結的境界,

不僅豐富了使用者與資訊之間的多元管道，產生類似擴增實境的效果，進而開創了更多未來資訊互動發展的可能性。

· 受訪者指出如何組織、分類、分析、呈現等基本資訊處理問題，希望圖書館能進一步開發文本資料的計算分析及概念關聯等功能，發揮問題意識引導的成效，也期待圖書館能積極以更多元形式展示圖書館的內容，甚至更進一步展現大學的知識面貌，並不斷思考圖書館的下一個目的。

· 受訪者認為使用者透過群體互動共同參與資訊利用的模式應持續拓展，圖書館也應積極與使用者之專業領域共同合作於多元內容的創造。圖書館的空間改造與大型展示設施提供了一個數位人文內容共建共用的場域，也形成一個多人即時互動與跨專業結合的實驗室，讓人文社會知識的觸發想像與實踐檢驗更能導入於可操作的教學與研究活動中，而有利於更有效的知識學習與更蓬勃的知識開創。

· 受訪者期許圖書館能協助發展各種學術專業領域整合的模式，成為大學校園中跨領域合作的平台，甚至能超越傳統歸屬於行政單位的侷限，在數位人文新典範的發展過程中，積極參與教學內容與研究工具的開發，成為另外一種教學單位，甚至也是一個研究中心，形塑數位時代中大學圖書館的新風貌。

回饋與省思

　　從知識本質與大學圖書館角色、大學圖書館的功能創新與數位人文展示效益、到對大學圖書館與數位人文未來發展的期待與想像，這三個層次反應了大學社群成員在知識探索認知與學術資訊服務需求的邏輯程序。首先，受訪者藉由實際體驗圖書館空間改造與數位人文展示功能創新的具體成果，觸發對知識本質與形式隨著時代改變的反思；其次，受訪者對圖書館空間改造與數位人文展示功能創新在大學學術發展上展現的意義與發揮的效益，回應自己的觀察與評論；最後，受訪者提出對現有成果更進一步深化發展的看法與期待。受訪者分別在三個層次意見陳述中的核心概念關鍵詞，彙整如下頁表。

　　整體而言，受訪者表達了對數位人文與圖書館功能的正面解讀與積極意義，現階段相關成果也引發了受訪者對後續延伸有更高的期待。這些來自不同領域學者的認同與支持，更代表著大學圖書館積極協助人文社會科學跨領域多元創新的絕佳契機與未來發展利基。

訪談內容分析框架與核心概念彙整

受訪者學術領域	本質、角色	功能、效益	發展、想像
管理學	重新定義知識中介、知識傳播的衝擊、多面向資訊展現、幫助知識創造與連結	互動、關聯、圖像化、空間、實驗、群聚、氛圍	情境、氛圍、合作、探索、連結、加值、研究空間、師生合作、推廣
文學	從典藏到互動取用、圖書館建築存在意義省思	互動、空間、教學成效、分析、觸發、引導	計算分析、跨域合作、多樣客製、學科合作、主動教育、套裝展演、開發議題與內容、另一教學單位
史學	保存管理圖書、社會改變	互動、活化	數位化研究空間、跨域合作、多元應用、學科合作
傳播學	知識典範轉變、知識載體改變、資料斷碎化、知識面貌改變、知識使用者改變	新的知識組織方式、數位互動、多元觀看與面貌、策展、教育、示範	重新界定專業、不同的組織世界的方式、展現大學的知識、連結、客製
圖書資訊學	服務便利化、便利取用、珍藏有價值紙本	空間活用、形象重建、觀感、啟發、視野、擴大參與	內容意象、概念、關聯、重構、分析、內容解讀、學科合作、內容再開發、跨域平台、開展視野

第 3 篇

數位未來

第六章　數位人文

　　2011 年 10 月 25 日，美國《紐約時報》（*New York Times*）刊載了一篇報導，指出一份在德國沉睡了超過二百五十年，始終無人能解譯的密文手稿，終於在新世代技術工具的協助下，被成功的破解了。這份手稿當初被發現於前東德的學術機構館藏中，是一本精緻封面裝訂的 105 頁錦紋紙手稿，內容以羅馬字母及希臘字母混雜一些神祕的抽象符號撰寫，構成共有約 75,000 個字元的密碼文書，以其中極少數的明文命名，稱為 Copiale cipher。這本據信為屬於歐洲啟蒙時代（Age of Enlightenment）的十八世紀古書，內容到底為何，一向困惑著歐洲歷史學界。這次獲得重大突破的故事從 1998 年的德國柏林開始，兩位專精於古文的語言學家，常常在午餐時一起討論一些不再使用的語言及鮮為人知的文稿。臨近秋季時，年輕的學者即將離開柏林，前往瑞典就任一所大學的教職，年長的學者臨別前給了一份送行的禮物。年輕學者收到的禮物，是一份封面上寫著「絕對機密」的信封袋，裡面裝有一百多頁 Copiale cipher 的影印本，加上一張紙條寫著「為了那些漫長的瑞典冬夜」。年輕學者是第一次看到這些充滿著奇怪字母與符號組合的手稿，

基於語言學家的興趣與專業，開始著手記錄每一個字母符號，嘗試統計每個字母符號出現的頻率，但到了四、五十個字母符號，花了幾個月時間之後，年輕學者覺得這不是一個好方法，只好將這些神祕手稿歸檔上架。

2011 年 1 月，這位年輕學者在任教的大學就近參加了一場計算語言學的研討會，由一位美國電腦科學家發表專題演講，介紹將外國語文視為密碼文字的概念，分享以破解密碼的統計分析技術進行機器翻譯的成果，演講結束前，不經意的向會場聽眾說，如果你手邊剛好有一長串的密碼文字，可以告訴我。會後，這位年輕學者想起了十三年前的神祕文稿，覺得不妨一試，就將影本寄給美國電腦科學家。這位美國電腦科學家也被這份神祕手稿吸引，真的著手嘗試破解，在短短的兩個多月就已獲得初步進展，接著年輕學者部門主管的另一位語言學家也加入，三人密集討論，逐步確認或修正部分已破解的密文。隨著破解轉譯成明文的範圍比例逐漸提升，他們發現神祕手稿的內容為描述一些祕密組織的儀式與活動，但其中有許多含糊其辭的言論。於是，他們再尋求另一位瑞典歷史學家的協助解讀，終於為 Copiale cipher 找到真正的歷史意涵。原來在十八世紀的歐洲仍是皇室與宗教封建統治，在民間許多祕密組織興起，包括其中最大的共濟會，孕育著民主思想、科學知識與宗教革新。這份神祕手稿最終被認定是撰寫於 1740 年代，內容記載著當時較為極

端團體的理念與主張，以眼睛視力象徵知識，致力於視力的恢復以開啟
人民的知識，部分內容甚至提到要推翻暴政極權。三十年之後在美洲大
陸，獨立宣言正式宣告了美國的誕生。

　　在這則真實故事中，我們看到了學者追求知識的熱誠、巧妙的機緣
連結及跨越學術領域的合作，帶來令人鼓舞的進步與發現。這則故事也
可以做為數位人文研究的註解，提供學術社群及廣大社會認識與想像數
位人文的可能樣貌。數位人文結合人文領域的問題意識與資訊科學領域
的技術工具，過去彼此分隔陌生的兩個領域，開始交會合作，而能克服
原先一己之力無法解決的困難或無法解讀的議題，進而共同拓展學術領
域的新疆界。數位人文打破固有學術體系、傳統研究方法與既定議題視
角的限制，為人文領域注入一股新興能量，也為資訊領域打開新的思維
角度，更為人類社會帶來學術研究的新境界與新展望。

脈絡與內涵

　　數位人文，顧名思義，就是數位與人文的結合。數位是以電腦為基
本工具，從資料的數位化，到演算邏輯的機械化與自動化，再到應用範
圍尺度的極度擴張，代表著資訊時代的核心元素概念。人文則是對人存
在於天地之間的整體觀照，包含各種思想、理念、行為、活動的探討，

及情感的表現、想像與創作等，映照著人類的生命本質與生活形貌。因此，廣義的數位人文，可以泛指人類社會進入資訊時代所面臨的各種本質的衝擊與樣態的轉變，數位對人類社會已經展開無所不在的包覆與滲透，數位也帶來典範轉移的強大力量與充沛能量，在這股潮流中所激盪的各種新的可能與新的挑戰，都可以是數位人文的範疇。狹義的數文人文，則是近年學術界的新興跨領域研究活動，一方面資訊學者對於資訊技術應用於人文素材與人文議題展現高度興趣，另一方面人文學者也開始嘗試採用資訊技術為人文研究的新工具，探討人文研究的新典範。兩邊開始更直接、更密集的互動合作，共同研擬新議題，共同建構新方法，也共同開創新可能與新發現。不論是廣義或狹義，數位人文彰顯我們對人類社會進入數位世界的省思與應對。當實體世界與數位世界不斷的交錯融合，當人類的智力活動與群體互動，開始在本質內容上改變，數位人文標示著人類歷史時空中的一個新座標，除了形塑豐富的學術內涵，更將指引未來產業實務界的發展定位。

　　儘管數位人文存在著宏觀而深遠的意象，一般對數位人文的初步認識，可以從具體的研究類型與案例開始。數位人文所帶來最典型的改變之一，就是文字與人的資訊獲取關係。文字是人類語言書寫的符號系統，是表達、記錄與傳達的最重要工具。長期以來，文字存在於平面載體上，例如紙張、木板、石板等，人類透過閱讀而接收文字所記載的資

訊。人文學者通常以大量的閱讀，累積專業資訊，建立學科知識，體會與探索人文意義，進而就特定議題提出個人獨到的解讀、闡釋與論述。因此，人文研究的重要條件包括文字資料來源、記憶力、資訊接收與連結能力、理解與創見能力等。當文字開始以數位形式大幅度的進入電腦，包括大量的原生數位文字，如電子郵件、社群媒體發文、電子書、電子期刊等，及大量過去的紙本書刊內容全文數位化，文字成為可供電腦操作計算的資料，文字閱讀的概念有了新的典範空間。文字不光是提供給人類閱讀，文字也可以由電腦閱讀。文字不光是電腦儲存與傳輸的資料，文字也可以是電腦分析與解讀的對象。人類在閱讀文字這件事情上，開始有了競爭對手，或是得力助手。

電腦的記憶容量與閱讀速度遠遠超越人腦。一百萬本書籍的數位文字資料容量，大約是 500GB，可以儲存於一般人都能擁有的外接硬碟。一百萬本書籍的文字量是人腦窮盡一生也無法達到的閱讀量，但對於 IBM 超級電腦 Watson 而言，只需一秒鐘的資料處理時間。即使是一般個人電腦，最多也只需要幾天的時間，就可處理一百萬本書籍的文字資料。當我們能將極大量由無數人腦產出的文字交給電腦閱讀時，人腦與電腦的關係，將啟動深刻的變化。頂尖研究機構研發的資訊技術，如機器學習、資訊擷取、自然語言處理、文字探勘等，讓電腦從無數文字中，不斷淬取累積資訊與知識，建構出上知天文、下知地理的超級百科機器

腦，如 IBM Watson，可以在益智節目比賽中擊敗人腦冠軍。一般學術界也能以較輕量級的文字處理資訊技術，徹底改變人文研究在文字資料面的規模概念，以遠超過人腦容量與閱讀能耐的天文尺度，開展機器閱讀的新境界。

　　若以人腦閱讀的資訊獲取程度為基準，目前的機器閱讀帶來兩種分別在巨觀與微觀層次上超越人腦的閱讀能力。巨觀的機器閱讀能力，通常為對大量文字快速萃取少量針對性關鍵資訊，再搭配整體累計的數值統計結果，以被形容為遠距閱讀（distant reading）的形式，呈現整體文字內容中特定面向的側寫輪廓。例如，Google Ngram Viewer 以大量書本內容及百年的時間跨度基礎之上，可搜尋一組特定字串出現頻率，並以年份為時間刻度，呈現不同字串所代表的概念，隨著時間而相互變化的趨勢。在學術研究上，也可依照某些地區或時間或語種或主題或作者等類別條件，蒐集大量文字資料來源，建立文本資料庫，再依照研究議題與研究設計，選定文字觀測對象，再輔以部分後設資訊，提供觀測性量化指標，展現特定樣貌特徵。例如，利用清末民初報刊文本資料庫（時間跨度超過一百年，文字量超過一億），快速比對「某某主義」於文本中出現的種類、次數與年份，可以大致掌握各式主義隨著時間的興衰變化，進而提供論述中國近現代思想史的部分客觀證據。又如利用十八世紀到十九世紀英國七千本小說書名資料庫，分析書名的各種特徵變化，

包括長短、組成元素、語法型態等。巨觀閱讀的資訊獲取目標方式，如同離開地面到空中，以俯瞰的高度與廣度，取得較大尺度的整體性文本脈絡資訊，提供全貌綜覽的能力。

微觀的機器閱讀能力，則展現於對大量文字的細緻爬梳檢驗，不遺漏任何細節，不錯失任何標的，以地毯式的掃瞄，比對各種文字特徵，建立文本的組成元素與含量資訊。這種細微的特徵掌握能力，加上各種分析技術，能充分掌握文本中的所有細微資訊，並以各種有意義的方式連結整合，達成各種目的的分析應用。其中一種典型的分析應用為寫作風格學，特定作者的大量著作文本，可以由微觀的文字特徵進行量測與呈現，包括字詞、語法、句型等語言學上的各種面向，建立個人的寫作風格指標。一旦文本的細微特徵能被有效發掘掌握，許多人類不易察覺的隱藏資訊，就能被充分的揭露，而引導事實的判斷。哈利波特系列小說作者羅琳近年改以男性筆名，匿名發表偵探類新作品。但經學術界分析，得到兩者寫作風格相當接近的結論後，羅琳透過出版社承認使用該男性筆名。《紅樓夢》前八十回與後四十回到底是否同一作者，一向是經典爭議。近年學術界以寫作風格角度的研究，傾向於認為是不同作者。微觀閱讀的資訊獲取目標方式，如同深入地底，挖掘出大量細微物證，協助拼湊或釐清事實的真相。

不論是機器的巨觀閱讀或是微觀閱讀，都是相對於人腦閱讀的基

準，所展現的不同層次閱讀能力與資訊獲取目標。人腦閱讀長於認知、理解與想像，但在容量、速度、細節與精準上，不如機器閱讀。在目前的資訊技術能力及大量數位文本的條件下，機器閱讀提供有如各種倍率的稜鏡，可以在不同視野、不同向度、不同解析度中，觀測大量文字中的豐富資訊。數位人文研究的一種典型，即在於利用機器閱讀的能力，輔助人腦閱讀，開發人文研究的新典範，嘗試以文本中的大量客觀證據，做為觀察、解讀與論述的基礎，並以透明的研究方法及可供分享共用的研究資料，建立研究成果可經公眾檢驗及反覆驗證的科學基礎。

除了文字的數位分析之外，各種圖片、影像、聲音的數位建置及透過資訊技術的多元應用，也是數位人文正積極開創的面向。資料視覺化技術將數據資料中的資訊意義，轉換為各式圖像呈現，透過人類較為敏銳的視覺認知，大幅提升資訊傳達與接收的效益。空間地理資訊圖像的導入，更是讓許多人文研究能同時以時間與空間的維度，展開更立體、更完整的觀察分析。圖文影音多媒體形式的數位體現，也被廣泛應用於人文議題、人文素材，帶來人文領域在學術研究與教學互動上的新風貌，並不斷探索嘗試新可能、新想像。例如，文化遺址的數位重建、珍貴文物的數位複製、文化薰陶及藝術創作的數位展演等。在可預見的未來，數位化所涵蓋的範圍與程度，必將持續擴大提升，包括文明活動歷史紀錄及當下的生活方式與社會運作。人文的本質與內涵在數位衝擊

下，如何受到影響、如何因應改變、如何趨利避害，都是數位人文的重要使命。

大學圖書館的角色

　　數位人文的豐富意涵受到許多先進國家學術資助單位的重視，相繼規劃政策面的鼓勵與引導，各學術機構乃成立專門的研究中心，投入組織人力，建立競爭優勢，正式宣告並承擔長期推動數位人文的使命與任務。2007 年成立的 centerNet 為數位人文研究單位的國際網絡組織，其成員包括分布於 19 個國家的 100 個研究中心。這一波數位人文研究中心誕生的浪潮，得力於許多大學圖書館直接或間接的參與促成，部分大學的數位人文研究中心，甚至附屬於大學圖書館，或在設備空間與資料素材上受到大學圖書館的支持。有些知名大學圖書館，如史丹佛大學圖書館、普林斯頓大學圖書館、耶魯大學圖書館等，更主持該校數位人文研究的學術行政工作。美國國家人文基金會（National Endowment for the Humanities）成立數位人文辦公室，2009 年開始設置 Digging Into Data Challenge 的競爭性高額研究獎助計畫，鼓勵跨國、跨單位、跨領域的研究團隊，在大量數位文獻資料可供利用的情境下，思考前所未有的規模尺度如何改變人文社會科學研究，探索如何利用數位工具與計算技術，

提出創新問題意識與分析方法的研究計畫。每兩年一屆獲得獎助計畫的研究團隊，大都得力於學術圖書館在數位研究素材、編目管理專業、甚至技術工具整合上的提供協助及積極參與。因此，歐美各國大學圖書館在數位人文的發展上，不僅發揮了推動學術研究的影響力，也提升了促進學術發展的貢獻，其把握契機、創造利基的積極作為，值得國內大學圖書館的借鏡。

數位人文的順利起步與茁壯發展，首重學術基礎設施包括資源、工具、空間、設備等的健全打造。大學圖書館長期以來累積的大量學術資源，如紙本書刊及電子書刊等，能夠成為數位人文直接可以使用的研究素材的比例非常低。過去圖書館所進行的書刊數位化，包括珍貴文物的數位典藏、期刊出版品的電子資料庫等，都是以人的資訊取用角度為主，以還原人的視覺能看到的原始紙本內容樣貌為目標，而以掃描、拍照等形式，建立素材內容的數位視覺影像，再以一幅、一幅數位影像為使用單元。因此，目前圖書館中絕大部分的電子資源，仍是以在數位載具螢幕上，提供給人腦視覺閱讀為目的所建立的。這些人腦視覺影像接收的電子資源並無法提供給電腦進行機器閱讀，數位人文需要更深度數位化的資源建置，才能讓電腦掌握素材內容中的每一個文字符號或每一個有意義的資訊單元。以文字為內容主體的書刊而言，全文文字檔及相關後設資料，如書名、主題、篇章名、作者、年份等，都是必須建置掌

握的數位資料。圖像或聲音素材也必須建置盡可能完整的描述資訊，才能有利於數位人文的各種運用。除了紙本素材的深度數位化回溯建置，數位原生的資料如大量社群媒體內容，也是數位人文的重要研究對象，但必須選定主題、範圍、目標，有系統的長期蒐集累積，才能建置出具有學術縱深與研究價值的資源。數位人文資源建置通常成本較高，因此大學圖書館必須發揮專業，並與學術社群充分合作，審慎評估合適的素材對象及其價值潛力，逐步建立投資效益與決策確認的正向循環。

　　數位人文學術資源的利用方式，與過往電子資源資料庫的檢索、點閱、下載方式不同，而以能提供資訊技術進一步的操作、分析、整合為主。因此，隨著數位人文學術資源的規劃建置，資源利用的數位工具也必須同步發展配置。以大量全文文字檔案組成的文本資料庫而言，特定字詞的比對統計、搜尋結果依各種後設資料分類分布呈現、中文語句斷詞與詞性判斷標註等，都是基本的數位分析工具配備。另外，數位資料分析的視覺化圖表呈現工具也是大學圖書館必須納入的軟體支援項目。數位人文在人文素材數位多媒體整合應用的面向，則需要大學圖書館在空間與硬體設備上的投資與協助。數位人文中的數位重建、數位複製、數位展演等，都必須借助於大型視覺設備，包括大型螢幕、投影顯示設備等硬體設施及公共活動展演空間等，以充分支援各種數位人文教學與研究的創新實驗與持續進展。數位人文是一個跨領域、開放性合作發展

的項目，通常不屬於單一學院或系所，而應是跨越系所單位界線，共同使用大學校園中的全校性空間設備。大學圖書館可適度檢視現有空間用途，活化部分老舊及效益不彰之空間，重新規劃並導入大型視覺設備，打造數位人文活動場域，而持續提升支援學術發展之核心功能。

除了數位人文學術資源與軟硬體等基礎設施的建置之外，大學圖書館的另一個重要角色則是成為數位人文發展平台。圖書館在大學校園中提供直接支援教學研究而長期穩定的營運，其功能性質約略介於學術與行政之間，從事各式資料的管理與加值，工作內容涵蓋人與資料的互動及人與人的合作，服務全校師生，也面向社會大眾推廣。相較於院系所等學術單位，大學圖書館更適合擔任數位人文發展平台的有利條件在於其延續性、連結性與服務性。大學圖書館通常擁有獲得保障的編制內人力、經費、空間、設備等，對於學術資源的建置、保存、提供利用等工作，能以穩定的行政營運能量，維持並確保其延續性。一般院系所學術單位或個別研究人員所追求的學術議題目標是動態的，在研究計畫結束或研究成果發表後，對階段性研究素材容易失去興趣，也缺乏長期保存與分享研究素材的動機與能力，而造成常態性的流失。基於數位人文的跨領域性質，一份數位人文研究素材可以由不同專業領域的議題角度切入利用，而產生各種有利於整體學術發展的多元加成價值。例如，傳播領域研究社群互動行為所蒐集的網路發文文本，可能被語言學領域再利

用，成為社會語言學議題的語料研究資源；圖書資訊領域基於資訊擷取議題所建置的政府官職資料庫，可以提供實證量化分析資料，成為歷史、政治、公共行政等領域之輔助性研究素材。大學圖書館可以在研究計畫執行期間，與計畫團隊建立合作關係，提供軟硬體設備之支援，同時協助規劃後續保存與共用之準備工作，並依計畫時程階段性接手管理，以確保學術資源的延續利用，進而促成數位人文整體內涵的良性循環成長。

　　大學圖書館成為數位人文發展平台的第二個有利條件在於其連結性。圖書館在大學校園中的角色特質是開放性與接納性的，是所有單位成員共同分享的體制與資源，長期以來已獲得非常穩固的認同，可以說是大學社群中與各方的心理距離最近的單位。因此，大學圖書館站在一個容易與各方連結的有利位置，在各種互動情境中，很適合扮演善意第三方的角色，提供串接、中介、轉換等軟性連結功能。各院系所單位或個別研究人員之間，可能存在知識領域的學術理念差異，或是潛在資源排擠的利益衝突考量，或是主角配角的心理層面因素，而造成互動合作的障礙。圖書館與學術單位的任務目標不同，也通常在相異的內部資源分配結構中，較容易以後勤支援的立場，在一個良性互動的框架下，與各學術單位建立異業夥伴關係。數位人文研究計畫可能主動尋求圖書館的專業資源協助，或樂意或至少不排斥圖書館的直接或間接參與。因

此，圖書館在各數位人文研究計畫之間，可以提供研究素材與知識專業的多元相互連結，而促成更豐富、更健康的學術發展。圖書館館員在教師、研究人員與學生之間，也提供了另一種身分的角色，開拓了三角互動的空間。館員和教師、研究人員之間，可以展開數位人文學術與實務的對話，以更廣泛的視野與經驗分享，持續相互學習成長。館員也可以承擔數位人文入門課程教學與諮詢，協助博碩士研究生傳承數位人文學術研究，並透過數位人文推廣活動，提供大學生初步接觸、嘗試體驗、探索想像等學習機會。大學圖書館通常也面向社會大眾，接觸各種類型之機構組織或個人，而擁有豐富的社會資源網絡，可與學術單位的網絡體系互補，形成能量豐沛的數位人文連結網絡，帶來許多可能意想不到的激盪與新創。

　　大學圖書館的第三個有利條件在於其功能內涵的服務性。圖書館在大學各項人才培育與知識創造活動中，是一個無私的、穩定的、長期存在的支持系統，以保存學習與研究素材、協助知識產出、成就學術發展為核心目標。圖書館的各項工作皆以服務為出發點，以開放性與利他性的互動本質，致力於創造有利學術成長的條件。因此，圖書館與大學社群成員之間沒有競爭關係，可站在提供服務的立場，參與數位人文的發展活動，而貼近了解其需求。依據國內外數位人文發展的經驗，許多研究計畫或教學活動，若有大學圖書館的積極參與及協助，在更完整的資

源挹注下，將有助於產出指標性的成果典範，並在後續推廣擴散上，得到良好效益。圖書館可以專案服務的方式，在數位人文教學研究素材、資料管理、工具應用等面向，累積客製化協助的成果經驗，進而建立出更常態性的、更廣泛的數位人文服務體系。在延續性、連結性、服務性的條件基礎之上，大學圖書館可以充分發揮平台功能，經營數位人文社群，接納各種社群成員的動態參與，提供資源整合與再利用，引導成果的循環加值與擴大，保持甚至吸納發展能量，打造出可以逐漸成長茁壯的數位人文生態體系。

大學圖書館在數位人文發展的積極參與，將至少提供三個層面的自我意義。首先，大學圖書館將直接參與推動一個新興學術領域的發展歷程。過去數十年的大學圖書館是以建置大量館藏、妥善組織管理資源及協助使用者找到可能有用的參考資料為主要功能，對於資源利用後的學科知識自主學習與教學研究活動，專業中介協助的機會極低。因此，大學圖書館在學術發展體系中，大部分是一個提供參考資源的間接旁觀者。而在數位人文的新興領域中，大學圖書館可以直接參與，與學術社群共同推動，專業協助教學與研究活動，建構實質的學術貢獻，並肩負重要推手角色，這將為大學圖書館在二十一世紀高等教育學術體系的重新定位，帶來重要的新發展利基。

其次，數位人文可以是圖書館領域知識與功能進化的任務目標，圖

書館體系所建構的專業是以紙本書刊的資源管理為主體，即使是二十世紀末期的電子化資源導入，在資源管理利用的方法與功能本質上，與過去並無重大差異。例如，以書刊為管理單元，基於一套階層式知識類別體系，為每一本書刊編目分類，上架存放，再透過後設資料的描述，提供比對查找與取用。電子化資源則轉化為資料庫型式，可以進階到以篇章為管理單元，提供快速搜尋及數位取用。以功能本質而言，圖書館所提供的是引進資源、管理資源，讓使用者便利的取得資源。然而，在數位時代，這些功能很大程度已經被網路及其所連結的廣大社會資源所取代或稀釋。數位人文解構了知識載體的單位，讓資料與資訊以更多元的型式運作，提供了圖書館領域知識一個全新的發展空間，也許是在資源建置上展現獨特的專業，也許是在資源描述與連結上，發展出更精進的技術，也許是在資源加值利用上，建立更進化的功能，都將為大學圖書館的學術價值帶來新的境界。

最後，大學圖書館日常的實務運作，大都為例行性工作內容與流程，尤其是在資源採集編目及典藏閱覽服務等面向上。館員工作內容容易陷入一成不變的常規化與制式化，專業學識應用與施展程度相對有限。數位人文打開了一個資料組織與資訊加值的全新世界，館員的學科知識基礎訓練與領域專業能力，可以在直接參與學術研究的情境下，不斷的實踐與深化累積，進而發展創新，也可以擔負起在數位人文研究成

果與教學活動之間的轉換與銜接工作。館員可以在數位人文社群中，扮演顯著的專業角色，以對等夥伴關係與其他成員共同開發新的學術疆界。館員的任務職責將進入一個接受挑戰與突破成長的正向循環軌道，在過程中取得更高的工作成就，大學圖書館也將更具體的展現為充滿活力與不斷自我提升的有機組織。

　　數位時代中的資料、資訊與知識，以液態化的形體快速流動，展現更多元的面貌，也帶來更寬廣的可能。數位人文代表了人文社會科學知識發展的新典範，也帶來跨領域連結整合的充沛能量，大學圖書館是大學社群中的一份子，應該把握契機，啟動創新思維，積極發展下一階段的功能利基，共同攜手於知識殿堂的演化與再造。

第七章 計算思維

你有臉書帳號嗎？你多久看臉書一次？你是否每天都透過 Line 或微信和家人、朋友、同事傳遞訊息、人際互動？你追蹤哪些網紅？透過 Instagram 和朋友分享生活？日常購物都是透過網路交易？你聽過大數據、人工智慧、擴增實境／虛擬實境（AR/VR）、金融科技、區塊鏈？電腦已經是我們生活中不可缺少的元素，數位科技為我們開創出另一個豐富的新世界，數位創新應用層出不窮，也不斷推動生活型態與社會運作的多元呈現。數位時代已經來臨，每一個人都需要認識數位應用的本質，需要掌握計算思維，才能建立數位創新的認知能力基礎，進而參與設計未來世界的發展。

電腦的發明為人類帶來一個功能不斷演化的計算機器，過去數十年電腦科學領域對此計算機器功能持續精進，不僅為知識發展帶來進階提升的關鍵動力，也全面改變了世界的整體樣貌。二十一世紀以降，人類社會開始進入一個數位連接與數位沉浸的世代，物質實體世界與數位虛擬世界可以相互介接串聯，人類社會發展已經進入到一個數位管道無所不在、各種行為高度數位運作的數位世界時代。數位世界是以電腦的資

料處理能力為核心運轉元素，以網路建構無所不在的連結，在各種生活層面與專業領域滲透介入，不斷擴大其疆域，也持續的影響人們的生活、工作與思考方式。在可預見的未來，數位浪潮將帶來愈來愈全面的衝擊，數位世界的比重愈來愈大，人們的專業發展更以其數位運用能力為關鍵，人腦與機器也將更深入的互動共創。

計算思維是電腦科學領域經過數十年的發展，逐漸累積形塑出一套邏輯思維模式及解決問題的基本框架，做為一個世代性的資訊技術能力經驗概念總結。計算思維是分析問題、制定解決方法的思考過程，而且解決方法的表達形式，必須能被一個具備資訊處理能力的個體，依循執行而得到預期結果。計算思維是一個連結人的心智策略能力與電腦的自動執行能力的思考框架，它提供了一個模型或套路，建立以邏輯為主軸的轉換機制，成為一個系統化的數位應用能力產出機制。計算思維能結合人類的創造力與電腦的計算執行力，除了能解決複雜問題，同時也開拓了各種創新應用的可能空間。計算思維概念加上不斷強化的電腦執行效率，讓人類具備前所未有的能力，突破過去的時間、空間、人力等種種物理條件限制，將解決問題的範圍與應用服務的尺度擴展到前所未有的境界。如同 Google、Facebook 與 Amazon 所展現的巨大影響，一個數位創新服務可以在短時間內影響整個人類的生活方式與社會內涵。計算思維將釋放我們解決問題的思考潛能，大幅擴展創意發想與數位創新的經濟效益，甚至加快文明發展的速度。

計算思維名稱

計算思維是從 computational thinking 轉譯而來，另一個可能的轉譯名稱為運算思維。電腦早期發展階段中，computation 的核心內涵是資料的搬動處理，所以被轉譯為運算。過去數十年，電腦的主要功能可以被定位為工具化與網路化，成為龐大的資訊基礎設施。近期的電腦發展則開始朝向智能化，電腦的各項應用已經開始具備智慧特徵，computation 已經實質超越了低階的資料搬動處理，進入到更高階的智慧能耐展現。根據教育部重編國語辭典修訂本，「運」是移動、轉動的意思；另外，也有使用、利用的意思。所以，「運算」應是指稱其利用算的功能。而「計」有核算、謀劃、設想、策略等意思，比較強調邏輯構思的意涵，如成語當中的「工於心計」、「三十六計」等。在思維能力的層次上，「計算」似乎比較能凸顯智慧的內涵與思考的本質，也更符合人類智慧透過電腦機器展現，而能解決問題、創新服務的目標。

計算思維與程式設計之關係

計算思維與程式設計的關係，就如同思想或故事與語言文字的關係，前者是人腦中立意構思的抽象意念，後者是表達呈現的符號系統；

前者是會說故事的編劇；後者是書寫文字的撰稿人。計算思維是訓練解決問題的邏輯策略，是思考層面的認知與能力框架，程式設計則是學習電腦程式的語法與程序控制，是邏輯想法的實踐工具。計算思維與程式設計可以相輔相成，但彼此在不同的層面上運作展現；計算思維像是建築設計圖，程式設計則是施工建造；計算思維像是武功心法，程式設計則是身形拳腳的施展。在數位時代中，計算思維讓每一個人都能認識神奇的數位世界，進而參與豐富的數位創新。

計算思維的普及培育

計算思維與數位技能在未來社會的關鍵性得到世界各國的高度重視，紛紛展開下一世代的人才培育，積極建立資訊應用能力的基礎思維框架，提升人民的全面性資訊科技能力，才能因應未來發展所需的數位競爭力。Microsoft Research 於 2006 年召集各科學領域傑出學者共同研議，發布 Towards 2020 Science 諮詢報告，提出幾項結論，其中重要建議包括：（1）電腦科學領域所發展出的抽象操作、邏輯拆解概念與資料分析及問題解決能力，再加上功能強大的技術工具，如能整合到其他學科領域，將協助各領域複雜問題的研究，並帶來重大突破；（2）教育體系必須納入資訊能力課程，建立學生理解數位抽象邏輯與運用電腦解決問

題的能力，並與各知識專業領域結合，培育具有創新應用能力的人才。

　　基於類似的趨勢觀察體認與人力資源目標，世界先進國家已經開始積極規劃資訊基礎教育政策。例如，美國總統歐巴馬（Barack Obama）於 2016 年 1 月的國情咨文演講（State of Union Address）中，宣布美國政府的 Computer Science for All 計畫，讓所有從幼稚園到高中的美國學生，都能透過資訊相關課程的培訓，建立計算思維的技能，具備成為數位經濟創造者的基礎能力。英國教育部長特拉斯（Elizabeth Truss）宣布於 2014 年 9 月正式實施新的計算課程（computing curriculum），成為全球第一個將電腦科學納入中小學必修課程的國家。一份於 2014 年 10 月發表的調查報告指出，二十個歐盟國家的十二個，已經將電腦程式能力列入中小學課程，另外七個歐盟國家則規劃於未來列入。我國教育部也研議修訂十二年國民基本教育課程綱要總綱，規劃納入資訊科技於國中與高中課程。因此，計算思維已經被視為是未來世界公民能擁有經濟希望與社會移動機會的新基本技能。

計算思維核心概念

　　計算思維是美國電腦科學家周以真（Jeannette Wing）於 2006 年提出的概念，以抽象化（abstraction）及自動化（automation）為兩大元素，

所建構的一套邏輯思考模式及解決問題的基本框架。周以真的核心論述認為，抽象化是一種心智思考技能，包括建立適當的抽象模型、定義抽象階層之關係，並同時進行多層次的抽象運作；自動化則是抽象技能與模型運作的機械化，依據精細而準確的模型，各種情境的初始狀態與目標狀態之間的差異，透過模組化的操作與系統化的程序，可以被依循執行、確保預期結果，也可以被反覆運用。抽象化與自動化兩個核心元素的結合，構成了計算思維的整體概念，就是抽象化後的自動化，也就是將人類抽象化思考解決問題的方法模型，加以轉換為可反覆機械化操作的資料計算程序，而可以透過某種具有執行能力的機制，展現解決問題的實際功能。

　　若進一步闡釋，抽象化是看到事物的內在本質，以較高階的概念理解事物的運作方式。本文將抽象化分解成四個階段的邏輯運作，第一個階段是捨去細節，去除雜亂多變的旁枝末節，只保留真正重要的核心概念；或是將一些相似的個體整併成一個較大的集合概念，而捨棄了個體之間的細微差異。第二階段是找出特徵元素，可以清楚描述這些核心概念，或代表這個較大的集合概念。第三階段是確認這些特徵元素之間的互動、因果或結構關係等。最後的第四階段則是建立模型，涵蓋特徵元素的組成及其互動關係等。因此，抽象化就是一個邏輯歸納的過程，具體產出就是一個用以理解事物運作方式的認知模型。

　　抽象化是人類智慧運作的層次，自動化則是邏輯程序演繹的層次。自動化展現於提供一套明確的指令步驟程序，讓一個代理機制可以反覆操作或採行實踐，而可以不斷的得到預期的結果，也就是建立一個可以確保一定產出規格的生產機制。在數位世界中，電腦就是最通用的自動化機器，可以快速而精準的執行程式指令，忠實的產出原先設計的功能。計算思維中的自動化，就是將人類智慧產出的邏輯程序，交付計算機器自動執行的概念。自動化讓我們在數位世界中設計的產出，可以不斷的複製，也可以大幅的延伸擴充，帶來巨大的效能。

　　計算思維以抽象化與自動化為兩大核心內涵，所要傳達的真正概念是，利用邏輯演繹框架，有效解決問題的思考能力。計算思維打開了問題能被定義與分析的角度，釋放更多的解決問題的創意發想。計算思維能力的內化與運用，在許多領域都有廣大的潛力。廣義上，計算思維是解決問題的邏輯過程與思考技能，並不以電腦為必要條件，而是在建立一套解決問題的模型，從看待問題的角度，到以型態、邏輯、程序方法等幾個系統性元素的有效運用。而在狹義上，計算思維是在以電腦為工具的數位框架下的解決問題能力，在資料與計算邏輯的結合下，透過電腦的執行能力，實踐具體效能。

計算思維操作模組

計算思維精簡扼要的表達了人腦與電腦可能的連結關係，但對於非資訊領域專業人士，終究是過於籠統而模糊。為了能在國民教育階段普及實施導入，國際科技教育協會（International Society for Technology in Education）與資訊教師協會（Computer Science Teachers Association）於 2017 年共同合作將計算思維在技能方法的層面上，歸納為四個操作模組：問題拆解（problem decomposition）、型態辨認（pattern recognition）、抽象思考（abstraction）及演算邏輯（algorithm），以協助初學者透過可被演練的過程，建立基本認知能力。本文簡要闡述如下：

- 問題拆解的目標是找到一個可以系統性的拆解問題的方式，讓拆解後的子問題與原先的問題存在某種結構關係。例如，數個子問題的線性組合可以還原為原先的問題，或者子問題是原先問題某種形式的縮減。同時，拆解問題的步驟可以重複的實施，將子問題更進一步的持續拆解成更小的子問題等等。通常我們面對一個複雜問題，千頭萬緒、無從下手，最有效的方法之一，就是拆解問題、簡化問題。以較複雜的 52 張撲克牌的排序問題為例，若先拆解或簡化到 13 張，甚至 3 張、2 張撲克牌的排序問題，是否更容易觀察出某種可以依循的邏輯，而發展出一套排序方法。

- 型態辨識或模式辨識的目標是從一些類似的問題或子問題中，透過觀察與分析，找出某種特定型態或模式，可以是某種固定存在的關係、結構或步驟、組成等。同樣以撲克牌的排序問題為例，2 張撲克牌時，最直接的想法可能是，比較第 1 張與第 2 張的大小，如果第 1 張比第 2 張大，彼此交換位置，就完成了由小到大的排序。當問題是 3 張撲克牌或更多撲克牌的排序時，前後兩張牌比較，必要時交換位置的方法，仍可以解決部分問題，這就是一種方法上的型態模式。人的臉孔最顯著的特徵是眼睛、鼻子、嘴巴。這三個器官的組成與配置可以視為臉孔能被直接觀察的結構型態。

- 抽象思考的目標是建立問題與方法的通用模型，以問題的邏輯概念基本元素，決定其相互關係，並展開為可以被操作的模型。換言之，就是將問題內容轉換成一個以概念元素及邏輯關係為主的問題模型，而可以通用化的套用到許多概念相同但表象不同的個體問題上。以人的臉孔為例，我們可以將其抽象化為由部分主要器官為特徵元素及其相對位置為邏輯關係的圖案模型，所以，不同人的臉孔都符合這個圖案模型的基本定義，只是存在模型內部的差異。撲克牌的排序問題，則可以被通用化為一個資料集合的排序問題，排序的基本解決方案之一是前後兩張撲克牌或兩筆資

料的大小比較，若不符合大小順序，則彼此交換位置。這樣的操作型態可以被通用化，不斷反覆利用，而逐漸解決更多筆資料中的排序要求。

· 演算邏輯的目標是針對前面的問題定義模型與解決方法型態，發展出非常具體的問題解決策略與解決方案，並將之表達成完整而詳細的演算邏輯程序與步驟，成為演算法設計，並能客觀評量演算策略與效能的優劣。以臉孔辨識問題為例，演算邏輯就是在落實特徵點的辨識方法與特徵點之間的相對位置是否符合既定模型的比對方法，效能評估包括辨識時間與準確率。

計算思維的具體實踐與最終產出，就是能系統性解決問題的操作方法，而能轉換成以程序解決問題的演算法設計，也就是從問題的拆解、型態模型的辨識、通用化模型的建立，到發展出一套演算邏輯策略，最後，成為一系列邏輯操作步驟的程序，可供計算機器循序執行，並能保證問題的解決。當一個解決特定問題的演算法被設計出來，也經過解決問題的效能驗證後，它就可以被不斷的反覆利用，並能適用於符合的問題模型，產生廣大的應用價值及龐大的經濟效益。例如，一個好的臉孔辨識演算法，可以成為數位相機的自動美拍功能，也可以成為門禁安全管制系統的一部分，應用範圍可以普及到全世界眾多人口的日常生活。

計算思維意涵影響

計算思維代表著一個世代性的發展概念總結，隨著過去數十年的資訊化與數位化的進展，人類知識運作的內涵、型態、應用方式等都已經開始展現本質上的改變。計算思維代表著人類智慧的一部分，能被具體的移轉為可以自動化執行的一套演算指令，再透過計算能力強大的機器，產生足以改變人類工作方式與生活面貌的廣泛影響。

周以真進一步指出，計算思維概念加上強大的電腦執行效率，讓人類具備思考能力與視野膽識去擴大解決問題的尺度範圍，進而形塑前所未有的深厚及廣泛影響。周以真甚至主張計算思維是與閱讀寫作及算術同等重要的國民基本學力，缺少了計算思維的基礎訓練，可能在未來社會因數位理解能力與數位創新能力不足，而喪失許多專業發展的機會，甚至居於社會的弱勢。

總結而言，抽象化代表著人腦的心智運作能力，自動化代表著機器的數位操作能力。計算思維概念強調在兩者之間建立一套系統性連結的模式，成為我們系統性分析問題、解決問題的思考工具，同時也銜接了不斷擴大的計算機器資源，就像開啟了人腦在數位空間中運行施展的巨大能量。計算思維的終極意涵就是人腦與電腦的結合，就像打通任督二脈而功力大增，未來的人類力量是另一個前所未有境界。要想成為數位

世界的思考者、設計者與開創者，就必須掌握計算思維。

大學圖書館的計算思維

從紙本資源到數位資源的時代典範轉移過程中，大學圖書館持續面臨功能與角色的重新定位。計算思維如同數位時代中的一種新思考模式與新語言，只有建立數位運作本質的認知，掌握數位創新能力的應用，才能指引出大學圖書館的未來發展路徑。大學圖書館導入計算思維至少將在專業進化人力、跨域合作平台、自主探索能力等三個層面產生具體作用。

國內大學圖書館專業人才培育一向以隸屬於文學院的圖書資訊系所為主力，以人文知識領域的涵養為基盤，以圖書管理作業的建構為技能，讓大學圖書館的運作成為一個井然有序的資料加工倉儲與資訊服務站區，發揮知識加值與文化底蘊的功能。傳統的圖書館專業人力在教育養成階段，較少接受資訊技術開發應用的訓練，即使在資訊科技導入過程，對於各種電子化資源與資訊系統大致是在管理者及使用者的層次上參與。計算思維能延伸圖書館人力的專業內涵，讓圖書館人員能基於對資料與計算本質的認知理解，建立對資訊加值與資訊服務的新解讀與新詮釋，而能具體規劃局部性、階段性與整體性的資訊技術應用，主導圖

書館的功能改造與實施進程，成為圖書館發展內涵的設計者。

　　大學圖書館的重要功能之一是對大學學術社群的協助與服務，但在豐富充沛的網路資源形成全球圖書館的趨勢下，學術社群與大學圖書館的互動程度大幅降低。近期興起的數位人文與 digital scholarship 是以數位資料的蒐集建置與分析應用為主軸，並以跨領域合作為行動方案。計算思維一方面是大學圖書館參與數位人文與 digital scholarship 的認知能力基礎，另一方面也是大學圖書館與各學科學術社群互動合作的共同思維框架。在新的學術研究典範下，數位資料需要更精細的拆解與掌握、更有系統的建置與處理流程、更深入而多元的資料分析與資訊挖掘，學術社群也將更期待大學圖書館的共同投入與專業協助。計算思維是大學圖書館能與學術社群建立夥伴關係的基本能力條件與思考對話語言，進而開創與學術社群共同成長的機會。

　　從 1980 年代開始的資訊化與網路化浪潮滾滾前行，世代之間的資訊獲取管道與資訊使用行為大幅改變，大學圖書館所面對的時代衝擊也不斷累積。即使目前的大學圖書館已經在管理作業與使用服務上納入各種特定功能的資訊系統，圖書館的本質與運作方式和前數位時代並未有顯著差異。在未來的世界中，數位化只會持續的擴大，數位科技將帶來更多的社會轉變，大學圖書館必須能重新定位自己，必須能善用數位科技創造新價值。計算思維與圖書資訊專業的融合，可以成為大學圖書館

在數位時代中的新物種組織 DNA，在運作模式、團隊文化、價值體系及工作慣例等層面上，成為內部互動與決策的核心依據，而能適應新環境，產生新時代的競爭力。計算思維將協助大學圖書館理解數位科技、具備利用數位科技的決策能力，掌握自主發展的思考能力，進而規劃數位時代圖書館的探索路徑，展開關鍵轉型的改造行動。

總結

　　計算思維為數位時代的基礎知識與技能提供了一個通用認知，計算思維是一個連結人類心智策略能力與電腦自動執行能力的思考框架，如同一個非實體存在的事物原理，看不到但可以解釋或預測現象，更可以廣泛的實質應用。在二十一世紀數位時代中，大量的電腦與網路提供了源源不絕的資料處理引擎與資料傳輸管道，透過電腦與網路，人類如同建構了一個異次元空間，可以無限的開展，存在無限的可能。以資料與計算為主軸的運行系統，代表著新智力能源的誕生，是人類智慧的延伸與施展，建構出一個有形世界與虛擬世界並存共創的新世界，在這個新世界的框架下，計算思維將有助於我們開發人腦與計算機器更深入的互動合作。

　　計算思維一方面可以是大學圖書館自我改造的驅動力，許多耗費人

力的例行作業或存在既有常規的管理事務，可以透過抽象化與自動化的認知技能，轉換為更有效率的計算系統運作模式，讓專業人力能投入更高階的發展性工作。計算思維另一方面也可以是大學圖書館服務功能的新項目，除了傳統的圖書資訊之外，圖書館可以發展出使用者對計算思維的學習與運用過程所需要的服務。在計算思維的引導下，大學圖書館應積極投入數位創新，解構傳統架構的束縛，釋放因應新時代趨勢的視野與能力，以更大的規模、更快的速度，產生本質性的發展，完成新時代的改造與轉型。

第八章 數位創新

　　在人類歷史長河中，一部分族群能從週期性的災害與戰亂中存活延續，除了地理氣候條件之外，知識文化的保存與傳承一向是文明復興再造的重要條件。資訊的表達從口述到符號與文字的書寫，資訊的載體則從石壁、竹簡到紙張，人類文明也逐步擴散與提升。當知識文化透過書本形式展開系統性的記錄，大量書籍不斷產出累積，從早期皇室貴族宮殿、宗教修行場所、民間私塾書院等分別設置各種規模的藏書室，做為資訊蒐集與取用的功能性建制。近現代社會普遍存在的各式圖書館，更是這種功能性建制的大規模實施，並在知識普及與文化提升上，扮演重要的支持角色。

　　電腦的發明代表一種全新的資訊媒介與資訊機器，數十年的數位科技進展與成果帶來前所未有的開創能力，世界的面貌產生顛覆性的變化。美國麻省理工學院數位經濟學者布林優夫森（Erik Brynjolfsson）教授在《第二機器時代》一書中指出，十八世紀工業蒸汽機與電力的發明讓人類從過去依賴動物提供的肌肉力量（muscle power），進階到可以設計製造機器，自由的生產與運用更為強大的機械動力，進而引發工業

革命，帶來人類社會生活水準的第一次大幅轉折提升。蒸汽機與電力代表的是一種通用技術（general purpose technology），可以驅動廣泛的其他技術應用，帶來革命性的產業發展與社會變化，稱之為第一機器時代。二十世紀電腦的發明，則讓人類開始可以掌控心智力量（mind power）的移轉，讓人類智能產出可以透過電腦的執行，而被大量的普及應用，代表著一種新世代通用技術的誕生，將全面性的驅動各種產業技術應用進入一個前所未有的境界，對經濟市場與消費行為也帶來顯著的特徵改變。布林優夫森教授認為，人類正進入第二機器時代，並預期未來社會發展的巨大變化，也提示企業、機構與年輕世代對數位科技的認識與應用能力的重要性。

電腦與數位科技改變了資訊流動的本質與內涵，過去以紙張為主要資訊媒介的模式受到顯著衝擊，數位型式的資訊產出、資訊保存、資訊傳遞、資訊取用成為主流現況，由電腦、平板、手機等終端裝置及無所不在的網路、雲端儲存裝置等所建構的數位資訊世界，已經鋪天蓋地的席捲新世代的生活作息與工作型態。數位科技新能力促成各種破壞性創新（disruptive innovation），以新的價值創造，顛覆經濟市場規則，衝擊既有產業結構與生態，造成企業組織消長的劇烈變化。例如，Amazon網路書店的興起，造成各地實體書店的沒落；各式網路訊息流動的自由多元，孕育了公民媒體的興起，進而解構了傳統媒體如報社與電視台等

的寡佔地位；共享經濟或平台經濟，如 Uber 及 Airbnb，透過數位資訊，有效媒合資源與需求，轉移了相當比例的服務產值。未來的數位世界將更為深入、更為豐富，因此，數位創新是任何組織、任何個人都無可迴避的趨勢與影響。

　　從知識文化保存與傳承的角度而言，數位世界是一個群眾共建共享的開放性全球資訊平台，資訊的保存無所不在，資訊的流動瞬間完成，資訊的取用觸手可及，圖書館過去在紙本媒介模式下的資訊壟斷角色已經被打破，原有的資訊蒐集、保存、取用功能已逐漸降低。因此，在新世代數位導向的資訊行為下，圖書館在本質上必須更深度的參與數位資訊世界的運作與服務，發展出新型態的資訊供應價值鏈，才能打造出數位時代圖書館的新樣貌與新角色。大學圖書館位於學術環境，並以知識社群為主要服務對象，相較於一般公共圖書館，更有條件、也更有責任積極投入數位創新，從認識創新為出發點，逐步實踐系統性創新方法，累積創新成果，進而開創數位時代圖書館的新價值。

創新的定義與因素

　　義大利經濟學家喬瓦多・多西（Giovanni Dosi）以技術典範的觀點認為，創新就是解決問題，並且是在既有的知識基礎上，尋求問題的

解方。美國管理學者戈普塔（Anil Kumar Gupta）則指出，創新是一個組織單位對一個新想法、新產品、新技術或新程序的創造與採用。人類不斷解決生存問題，也持續產出新知識以改善生活水準，因此，人類文明發展就是一個永恆創新的過程。創新的概念與方法在近代管理學界受到廣泛關注與討論，美國管理學界知名教授彼得·杜拉克（Peter Drucker）從產業實務案例中，歸納出創新的七個背景因素：

- **預料之外**（unexpected occurrences）：原先設定的目標可能失敗，意外的機會反而可能成功。

  例如，1930 年代 IBM 公司開發出第一代專為銀行設計的記帳電腦，但卻未能引起銀行業的興趣而拿不到訂單。剛好在美國羅斯福總統政策下，公共圖書館獲得龐大預算經費，使得 IBM 公司得以賣出數百部電腦給各地圖書館，解除了生存危機。十五年後，當一般人認為電腦的用途是在發展科學，商業機構卻開始對能處理員工薪資的電腦感到興趣，Univac 公司擁有當時最先進計算能力的電腦技術，卻拒絕提供做為較低階的商業用途。IBM 公司則願意改變目標，專為商業用途重新設計電腦，在五年內反而成為電腦產業的領先者。

- **失諧**（incongruities）：創新的機會可能出自於邏輯或程序中不協調或不一致的地方。

例如，海運產業的早期發展目標都在提升船速、降低燃料成本。直到 1950 年代面臨重大經濟危機，產業認知與現實的差異才開始被發現，原來真正關鍵的成本浪費不是發生在海面上，而是在港口的停泊閒置。因此，創新的機會在於如何減少船舶無法產生運輸價值的時間，而啟發了滾裝運輸船與貨櫃船的創新方案。

- **程序需求**（process needs）：某一個產品或服務的流程中，經常會有一些需要耗費人力或時間的瓶頸步驟，而成為創新的機會。

  例如，早期報業的發展深受到人工排版的時間與能力限制，造成報紙內容排版與出刊時程上的諸多限制，因而啟發 Linotype 排字機的創新發明，進而促成報紙快速大量印刷發行與蓬勃發展的黃金時代。

- **產業與市場變動**（industry and market changes）：產業或市場結構可能在短時間內發生變化，市場領導者通常會因聚焦於保護現有市場而忽視了快速成長的區塊，成為創新者的絕佳機會。

  從經濟史的角度而言，產業或市場生態就是企業興盛與衰敗的循環。例如，台灣積體電路公司在原先由英特爾及德州儀器等大廠主導的半導體產業垂直整合結構中，開創出專業晶圓代工的利基角色，而成為半導體產業蓬勃發展的重要推手；Nokia 公司堅持原有世界領先的手機品牌成功模式，忽略了智慧型手機的快速興

起，而在短短數年間被市場淘汰。

- **人口結構變動**（demographic changes）：人口結構包括人數、年齡分布、教育、職業、地理位置等的改變速度加快時，若能認清變化趨勢、體察需求消長，是風險最低與報酬最大的市場目標。

  一般人的生活目標與消費需求在各年齡層階段皆會有所差異，當社會人口結構產生顯著變化時，相關產業的消長現象也會特別劇烈。例如，臺灣近年人口結構逐漸從正金字塔翻轉為倒金字塔，少子化與高齡化的社會趨勢已經對教育體系與照護產業帶來衝擊。

- **認知改變**（changes in perception）：認知改變的是意義而非事實，例如，現代社會許多人從原先被動的疾病防範，轉而主動的追求保持健康，因而帶來健康運動產業的快速成長。

  臺灣社會近年也可以觀察到這個現象，諸如健身房、自行車、馬拉松慢跑、登山健走等休閒活動開始吸引各年齡層民眾的投入參與，帶來運動經濟的蓬勃發展。

- **新知識**（new knowledge）：基於新知識的科學、技術或社會創新是最能創造歷史的創新，是創業的巨星，並帶來知名度與財富。但是，新知識的創新更依賴市場，必須謹慎的分析需求及目標使用者的能力。

Microsoft 的電腦作業系統、Google 的搜尋引擎、Amazon 的網路購物、Facebook 的社群平台都是基於新知識的創新，也塑造了其創辦人成為開創數位世界的巨星。相對的，積層製造（3D 列印）技術的進展與終端產品的推出，在目前仍未帶動市場需求，尚無法成為新興產業。

這七種創新的背景因素基本上只是突顯了產出創新的時代脈絡，創新永遠都在當時的情境需求當中孕育而生，有些是組織面對生存危機、克服發展困境的成果，有些是個人追求自我實現、創造個人利益的行動，有些則是整個世代、整個社會對生活的認知、型態與需求的改變所帶來的機會。在數位時代中，圖書館已經面臨了資訊模型的典範改變，也受到了需求降低、使用人口流失的衝擊。所幸，基於長期的社會公益角色，依賴國家社會資源運作的圖書館，尚未出現立即性的存續危機。然而，若圖書館功能持續未能有所突破，或有限公共資源開始出現排擠現象，圖書館的社會價值就會開始受到挑戰。因此，圖書館必須及早啟動創新，也應積極的建立創新知識，掌握創新方法，並從中得到創新的啟發，進而展開具體的創新行動。

數位創新的本質

　　創新持續推動著文明社會的各項進展與演化，數位世界的開創更帶來無窮的可能，讓創新的能量更為強大、創新的影響更為擴散，就像以Google、Facebook 與 Amazon 為代表的數位創新，在短短一、二十年間，就帶來生活、工作、產業、經濟等各層面的行為典範改變。美國學者克里斯多福・姚（Christopher S. Yoo）等人指出，近二十年數位科技的快速發展與數位化的廣泛普及，是驅動市場上各類產品與服務創新的主要力量之一；而數位科技帶來實體與數位模組的各種結合可能，更打開了多元創新的場域與架構。許多快速成長的新創公司都是以數位創新為核心價值，並透過網路成為零障礙的普及連結平台，迅速的擷取廣大市場規模。歷史悠久的公司則是積極導入數位科技元素，讓原有產品產生新的功能與新的價值，才能延續產品的市場生命週期。圖書館的未來發展也無法脫離數位創新的框架與趨勢，因此，必須更深度的認識與理解數位創新的本質內涵，才能妥善的規劃數位創新的方向，進而開發出獨特的數位創新利基。

　　數位創新指稱由數位科技促成的創新而形成數位化（digitization）的新形態，而數位化不光是數位編碼的技術程序，更是透過數位物件與關係的媒介，所帶來社會技術結構的整體性轉變。例如，網路的快速資

訊流動與資訊普及能力，促成供給與需求的高效率媒合，啟動了電子商務、自媒體、數位行銷、網紅經濟等新興產業樣貌的發展。Facebook、Instagram、Line 等社群媒體與通訊平台更是觸發了整個社會頻繁密集的人際互動及部分世代與族群的自我展演，寶可夢（Pokeman）的擴增實境遊戲則展現了行為激勵的人群動員與空間聚集能力。數位世界的建構與運行已經徹底改變人類生活內涵與社會發展樣態，讓人類進入一種全新的社會心理情境。

基於數位創新對未來世界的深遠意涵，克里斯多福·姚等學者共同研討出數位創新的核心認知與基本結構，對數位創新的理解與想像提供了重要指引作用。首先，數位科技的三個設計特徵是促成數位創新的關鍵角色：

- **數位資料的同質性**：數位資料可以橫跨不同媒材，不同來源的資料數位化之後，可以被操作組合，化解了媒介之間的界線。
- **數位計算架構的可程式化**：透過泛用的計算機器，數位物件可以彈性的程式化而改變其設計目的與行為。
- **數位技術的自我參照**：數位技術的普及加速了數位工具的擴散，形成不斷自我反饋累加的網絡效應，更帶來數位創新的快速生成。

　　這三個設計特徵相互強化，形成驅動數位創新的獨特社會技術動力，也是開創數位世界的基本性質。數位世界的建構與演化是以數位資料為物件材料，以數位計算為操作運行，再以數位技術為機制力量。實體世界中的空間物體皆可經過數位化而投射到數位世界，任何的抽象資訊也可以轉換為數位型態於數位世界中，所有數位世界中的物件都可以彼此堆疊、鑲嵌、結合、融入等，而進行各種形式的重組與利用。實體世界中的物體存在於特定空間位置，物體之間的互動關係受到物理化學定律的規範，數位世界中的物件以數位型態為共同基礎，各種互動方式幾乎沒有任何其他的條件約束。人類的想法邏輯與概念創造可以透過數位計算，彈性的操作數位物件，動態的指揮數位世界的運行。數位技術之間則以數位資料與數位計算相互介接、累積加成，各種數位技術不斷推陳出新，也不斷利用既有的功能與資源，積沙成塔、滴水成河，持續擴大數位世界的疆域、豐富數位世界的內涵。

　　數位世界的發展，除了來自對實體世界的數位投射，更來自於不存在實際形體的人腦想像與創造，共同以數位物件為建構材料。相較於實體世界中的物質材料，數位世界中的數位物件具備許多獨特的材料性質，包括：

- **可程式化**（programmability）：數位物件可以依照指令改變行為，成為可延展的物件。

- **可指定**（addressability）：每一個數位物件都可以在某一情境中，被辨識指定，成為可操控的對象。

- **可感知**（sensibility）：數位物件可以整合各式感測器，而能蒐集環境資訊，建構情境意識。

- **可通訊**（communicability）：數位物件可以內建通訊能力，而和其他物件或整體系統相互傳遞訊息，可以持續發展多元關係。

- **可記憶**（memorability）：數位物件可以具備資料儲存裝置而有記憶能力，提供更符合目的的互動基礎。

- **可追溯**（traceability）：數位物件可以回溯過去經歷的事件及與其他物件的互動，而發展目前適切的延伸。

- **可連結**（associability）：數位物件可以彼此相互連結，形成去中心化而有智慧行為能力的自我組織。

我們可以想像數位物件為數位世界中的住民，以數位資料為通用語言，承載著或簡單或複雜的邏輯設計，除了展現各自的功能行為，更能分工合作、堆疊加成，成為龐大精密而又變化萬千的新世界。因此，數位創新的本質在於人類對數位物件的開發不斷精進，對智慧邏輯的設計不斷實踐，對數位世界的想像不斷擴大，對實體世界與數位世界的介接融合不斷深化，進而實質影響了人類文明的進程。克里斯多福・姚等學

者更進一步提出觀察數位創新的六個維度，涵蓋數位創新能耐、創新過程及創新成果等面向：

- **融合**（convergence）：在數位資料同質性的基礎之上，多元異質的數位科技也可以相互整合，在不同的數位服務階層中彈性組合，形成一個豐富的數位融爐與開放的數位平台，不斷吸納各種技術能力、領域知識與應用場域，打開數位發明的新空間。

- **數位材質**（digital materiality）：數位物件與實體世界可以相互介接、彼此包覆，這些全面連結延展的新互動能力，可能創造出各種人類活動的新形態與新體驗，並形成新的社會機制與社會結構。

- **生成**（generativity）：數位資料、數位內容、數位產品、數位服務的延展性有助於各種創意想法的加成與轉換，藉由知識共創的循環驅動，形成一個高度生成的數位創新過程。

- **異質**（heterogeneity）：數位融合連結了過去各自獨立的知識、活動、物件、能力等，帶來許多高度異質的創新元素，更促成多元智慧、百花齊放的群體共創過程。

- **創新軌跡**（locus of innovation）：數位科技大幅降低通訊成本，讓群眾參與創新過程成為可能。這種開放性促成許多源自於群眾募集與群眾智慧的數位創新，創新的軌跡也從組織內部轉移到不

斷擴大的網絡邊陲。

- **步調**（pace）：許多應用場域數位化的步調加快，大幅改變了資訊獲取的時間特性，也帶來更快速且持續不懈的數位創新。

　　這六個維度彼此互動、相互強化，形成更複雜的數位創新動態現象，也帶來更豐富的數位創新機會與可能。這六個維度也分別描述了數位創新的特色樣貌，幫助學術領域與社會大眾對數位創新的解讀，提供探討與理解的基礎，並進一步思考數位創新的新可能與新機會。圖書館界可以透過這六個維度的視角，導入促進數位創新的組織策略，發想圖書館服務功能利基的數位創新方案，進而啟動圖書館數位創新的正向循環。例如，如何從原始文獻、二手文獻為起點，充分利用數位材質、融合、生成等維度特質，發展出學術資訊與文化知識的價值創造鏈結體系；另外，圖書館的數位創新方案可以考慮走向群眾的參與式創新，與學術社群、年輕世代使用者、政府部門、產業界等深度互動，發揮異質、創新軌跡、步調等維度特質，建立新的知識獲取及知識產出服務產業。

圖書館的創新情境與行動方案

　　數位創新帶動許多有利的社會轉變，給人們更多的選擇與自由、更

豐富的生活與經驗，但數位創新也造成社會功能結構的劇烈變動及經濟體系的巨大翻轉。在數位創新的潮流衝擊下，許多組織與個人，如同圖書館，也都面臨著重新找到定位與建立新時代競爭力的挑戰。因此，圖書館的創新方案可以規劃為兩個階段及兩個面向，分別是塑造有利於創新的情境階段與展開資訊服務創新階段，及對內的圖書館本身組織與對外的大學知識社群。

　　許多創新研究發現，創新過程可以被歸納出某些脈絡特徵，因此，創新活動與創新產出是可以被引導促成的。美國《紐約時報》暢銷書知名作家史蒂夫・約翰遜（Steve Johnson 2010）從歷史上的重要發明範例，歸納出七種有利於創新的情境特徵：

> ・**相鄰可能**（adjacent possible）：源自於美國生物學家斯圖亞特・考夫曼（Stuart Kauffman）提出的理論，認為生物系統由簡單而演化到複雜，是一個漸進的、減少能量耗損的、組成結構局部變化的過程。約翰遜藉以指出人類歷史上，不論是在文化、科學與技術的進展，大都是從已知為起點，探索鄰近的未知而產生的，就像是在一個龐大的宮殿中，從一個房間通過一扇門，到隔壁的另一個房間，是一個逐步探索、鄰近發現的過程。所以，許多創新也都是由個人熟知的領域出發，往周遭邊陲探索，嘗試一些想法或零件的新結合、新組態，其中少數的嘗試會找到一扇門，打開一

個創新的場域。

- **液態網路**（liquid networks）：太多的秩序或過度混亂都不利於創新，創新的系統通常出自於接近混亂的邊緣。如同物質三態中，氣體型態中的分子自由度最高，但也快速變動；固體型態中的分子有穩定的結構，但無法改變；液體型態的分子則可以隨機連結產生新組態，而維持足夠的穩定程度。創新的情境如同液態網絡，必須鼓勵成員頻繁的互動與碰撞，串連一些小想法，組合成一個更大的好想法。許多科學技術上的進展，都是經過會議桌上的討論激盪整合而成，而不是研究人員自己隔離在一個房間中的產出。

- **緩慢直覺**（slow hunch）：直覺有時能提供正確的方向指引，但直覺也經常飄忽不定、來去無蹤。好想法通常由直覺開始，從不完整的形態出發，但因為缺乏其他的必要元素，而又逐漸消失。直覺需要與其他直覺連結累積，才能產生更完整的創新想法，由一開始的直覺到真正的創新，通常是一個緩慢的過程。因此，一個有助於創新的好習慣，就是持續將直覺想法記錄下來，每一次的筆記回顧，都將提供新想法與過往想法重新連結組合的機會，透過想法的演化融合，最終達成從直覺想法到創新的實現。

- **機緣巧合**（serendipity）：創新有時出自於機緣巧合，一種由意

外的連結所帶來的關鍵巧思。有時好想法總是缺少了一塊，或是被侷限而找不到出口，因而陷入膠著狀態。一些不期而遇的資訊或想法，可能剛好補上缺口，或是打開一扇門，讓具體的創新想法得到突破性進展。機緣巧遇必須以增加與不同領域的接觸，及具備足夠的洞察力為基礎，才有機會發現新元素、產生有意義的連結，進而建構出具體成形的新組態。在個人層級上，可以暫時脫離工作或生活的常規，讓心思轉換到另一個不同的情境，及在專業領域以外的廣泛閱讀，都有助於機緣巧合的發生。在組織層級上，則可以多安排腦力激盪的活動，促進想法的流動與結合。

- **錯誤**（error）：嘗試錯誤是真正創新之前必經的過程，正確的結果讓人停留在原地，錯誤則強迫我們探索其他的可能性，為離開自以為是的假設開創了一條道路。當我們犯錯時，我們必須挑戰自己的假設，採取新的策略方法，在多方嘗試下，也許就會打開一扇新的門。通常一般人更常犯的錯誤在於無法認知錯誤而忽略錯誤，所以，如何將錯誤轉換為洞見是能否創新的關鍵。錯誤有時候需要局外人的協助解讀，以不同的觀點、不受既定框架的束縛，提供一個新的情境，而有助於找出錯誤的意義。好想法通常來自於包容錯誤的環境，就像自然界的突變帶來神奇的新物種。

- **功能變異**（exaptation）：演化生物學發現生物的某些特徵原本的

功能在演化過程中會被轉化為另一種功能，例如，部分恐龍的羽毛從原來的溫度調節功能轉化為其後代的飛行能力。人類發展過程中，也有許多工具移植轉借而產生的新發明，例如，法國編織工在西元 1800 年初期，為複雜的圖案發展出打孔卡，查爾斯‧巴貝奇（Charles Babbage）轉借了以打孔卡不同的孔洞配置表示不同型態的控制方法，於 1837 年發明了第一部機械式的計算機器，電腦程式設計的輸入直到 1970 年代仍在使用打孔卡。所以，創新的情境經常發生於不同領域之間的交互啟發，能在不同的框架中穿梭思考，以新的知識視角或從其他領域中借用工具解決不同的問題。

‧**平台**（platforms）：水獺建造水堤、水壩而將溫帶森林轉化為濕地，成為適合許多物種的居住地，帶來更豐富的生態體系。創新需要各種必要元素的探索、接觸、連結、組合的循環滾動，平台建造者可以打造出蘊含豐富資源與潛在機會的空間，而吸引不同背景與多元能力的參與者，形成能匯聚各種創新元素的場域。平台之上也可以堆疊另一個平台，彼此加成累積、深化發展。因此，平台機制建構出一個水平與垂直的交互演化，讓參與者獲得充足養分的共生場域，促成開放多元想法的相互激盪、啟發與意外發現、連結，進而演化出豐富的創新能耐。

　　圖書館的創新行動可以參照這些創新情境特徵，打造出有利於創新萌芽與實驗發展的場域，包括訂定容錯的友善管理措施，提供各種延伸觸角與擴展視野的機會，設計腦力激盪與靈感促發的活動，鼓勵跨部門的創新提案，並規劃相關資源協助創新的滾動修正。在各種創新情境特徵中，平台的功能最值得圖書館的關注，一方面是其角色定位的適切性，另一方面則是其價值的最大化與長期性。在既有的社會體系中，圖書館一向以知識性與公共性的服務者為定位，因而掌握了穩固的人群聚集場所與中介功能角色，能與各知識社群廣泛接觸，發揮連結與匯集的潛在效益。圖書館在大學校園中，擁有穩定的行政資源與空間，能和不同學術單位建立橫向連結，同時也能分別和教師與學生社群建立縱向的連結。圖書館在數位創新浪潮下的長遠貢獻，可能就是積極發展為數位創新平台的建造者與營運者，同時展開組織內部的創新方案孵化與培育，並提供外部社群的創新場域服務。

　　對內，圖書館可以鼓勵成員建立開放心態，跳脫傳統思維，挑選部分成員為創新種子，組成數個跨部門創新小組，勇敢實踐從創新方案構想到行動成果檢驗的循環修正過程。創新小組可以視狀況打散重組，創新方案也可以視成效連結擴大或調整目標方向，讓數位創新平台的運作真正落實為組織文化，才能建立圖書館創新發展的驅動引擎。對外，圖書館可以發起主題領域的創新資訊應用專案，積極邀請數個學術社群的

共同參與，發揮觸媒者、連結者、整合者等角色功能，促成異質學術社群之間的融合創新。另外，圖書館亦可思考如何充分利用其知識技能、空間設備等專業資源，打造出創新數位服務的學習與實驗場域，協助年輕世代建立數位創新的競爭力。

文明演進過程中，不斷因為知識技術的關鍵突破或利益結構的崩解重建，而帶來顛覆性的巨大改變。回顧起來理所當然的進展與變化，在發展初期卻經常被大多數人忽視，甚至許多最受變革影響的聰明而有經驗的決策者、掌握資源優勢的龍頭組織，卻最容易執著於固守既有地位，而無法看清局勢、未能因應迎面而來的新趨勢、未能發現新驅動力的潛力、未能想像及參與概念性的變革，而走向沒落衰敗，成為「知識的詛咒」（course of knowledge）及「安於現狀的偏誤」（status quote bias）之陷阱下的犧牲者。

在未來的世界中，數位化只會持續的擴大，而數位創新更將不斷的改造社會的結構。在數位世界中，電腦就是通用機器，數位科技就如同通用技術，兩者提供源源不斷的人類心智力量的施展與延伸，可以讓想法與創意以前所未有的方式組合，甚至讓各種既有的與新創的想法不斷的重組演化，帶來興盛的創新活動與豐富的創新成果。由電腦及數位科技的進展所產出的心智力量，讓我們可以更加掌握環境、塑造環境，解除過去的諸多限制，進入一個全新的疆域。圖書館必須以更開放的心

態，擁抱數位的本質意涵與數位科技所帶來的超越力量，盡早啟動數位創新，發展新型態的資訊服務，打造新內涵的創新轉型，才能駕馭滾滾前行的數位浪潮，迎向價值成長的未來。

弧型沉浸式展演廳

結語

數位世界的創建已經成為普遍參與實踐的事實，數位世界的持續延展與深化也將是時代巨輪的慣性動力方向。圖書館在過去資訊與載體供應鏈管理中的重要地位，已經逐漸降低，為了自身的存在價值，也為了在資訊與載體的新型態網絡中扮演更好的角色，圖書館必須找到新的功能與新的定位。位於前緣知識社群中的大學圖書館，更是必須認知創新的必要性，勇於開展創新的行動，透過實踐與檢驗，找出新的資訊服務模式，提升資訊服務的貢獻，為未來的圖書館找出新的利基所在。

大學圖書館的創新發展策略，可以約略歸納為下列幾點：

- **危機意識**：在高教資源緊縮的情勢下，圖書館的年度經費預算與人力編制，勢必逐年受到調整壓力，如果使用率與服務效益仍持續未能反轉，圖書館的萎縮將成為不得不然的結果。大學圖書館必須及早建立危機意識，上下一心、共同關注自身的既有模式與外在環境變化的落差，調整心態、化被動為主動，是啟動創新的基本要素。

- **體察需求**：在資訊模型典範轉移下，舊的資訊需求逐漸降低，新

的資訊需求仍尚未被滿足或尚待發現。大學圖書館必須積極與各類知識社群接觸，尤其是已經不再使用圖書館的社群成員，傾聽消失的市場發出的聲音，主動挖掘出新的資訊需求，才能找出投入資源的發展方向，透過新的服務產品與新的專業功能，重新找回離開的使用者。

- **實驗精神**：每一個創新行動並非保證一定成功，更重要的是勇於持續採取創新行動，累積最後成功創新的條件。大學圖書館必須採納實驗精神，建立一套創新實驗管理流程，以計畫、執行、檢核、行動的循環過程，不斷修正精進，直到成為可以穩定推出的新服務。實驗精神的導入，更有助於內部成員的視野擴大、專業養成與團隊培育，為機構的創新發展提供更充實的人力資源條件。

- **資源配置**：以企業經營的角度而言，新產品、新市場的開發勢必透過投入資源的調整配置才能具備啟動的條件。在既有人力與經費無法增加的限制下，大學圖書館必須採取內部資源的調配策略，減少效益低落的業務量與人力成本，盡可能以百分之八十的內部資源維持原有的服務功能，而能調撥百分之二十的內部資源，投入各種創新行動，並依後續成效，彈性調整資源配置。

- **夥伴關係**：大學圖書館流失使用者的主要原因，在於部分知識

社群成員在學術發展的過程中已經不再依賴圖書館提供協助。因此，大學圖書館必須重新找到能與知識社群發展出夥伴關係的利基點，更主動的參與學術領域的發展動向，更積極的開發輔助教學的新模式，才能在實質的需求與供給互動過程中，爭取更多的支持與更廣泛的資源挹注。

· **善用平台**：圖書館在大學社群中仍佔有一獨特優勢，是各類成員族群共有共享的知識與空間場域交叉點，自然的成為有利於發展有機連結的平台。因此，大學圖書館應該善用平台的角色，積極經營平台的內涵與功能，廣泛延伸觸角，主動創造各種人事物連結整合的機會，成為跨域創新的中介觸媒與重要成員，不僅實質參與創新社群，同時，更能反饋帶動自身的創新。

· **對外行銷**：大學圖書館的創新發展，如同任何新創事業，必須贏得客戶的認同，爭取新的服務訂單，接受市場的回饋與考驗。因此，大學圖書館必須積極對外行銷，建立各種接觸潛在客群的管道，主動傳播創新成果，以實際產品或服務案例，展現新型態的專業能力，促成更多的合作與委託機會，潛在客群包括原有的知識社群、政府部門、企業團體及廣大的社會大眾。

· **溝通凝聚**：大學圖書館創新發展的同時，仍然必須維持原有的營運與服務，就像穿著衣服改衣服，必須透過局部、漸進的過程，

如新增功能、模組替換、區塊更新等方式，逐步推動、堆疊累積，以成就令人信服的改革創新。創新的過程勢必牽涉到汰舊換新，也需要額外的項目經費投資，以及業務流程、績效目標、組織結構、工作內容等的改變。因此，對外包括決策階層與服務對象，對內包括組織成員與圖書資訊專業領域社群，都必須週期常態溝通凝聚，以形成理念與目標一致的利害關係人利益共同體，達到穩健而堅定的創新發展。

二十一世紀人們生活普遍接觸各種廣義的資通訊裝置，從手機、電腦、相機到雲端平台、網路等，以軟硬體整合裝置的資料傳輸與計算能力，提供各種強大功能。例如，手機上的 Apps 能讓我們隨性啟動遊戲，帶來個人或多人互動娛樂；也能讓我們隨時參與社交生活，進行消費行為；各種交通設施的資訊化與自動化，帶來更便捷的空間移動過程；臉部辨識與虛擬造型增添了身分管理能力與生活趣味；社會的經濟模式，生產與消費的許多環節，也透過各種數位連結的平台進行，取代了傳統的服務型態與價值鏈。我們已經生活在一個計算無所不在、數位破壞創新的世界。資訊科學領域世界著名的學者，同時也是美國麻省理工學院媒體實驗室（MIT Media Lab）的創設人尼古拉斯・尼葛洛龐帝（Nicholas Negroponte），在 1995 年出版的 *Being Digital* 書中指出，互動世界、娛

樂世界與資訊世界終將合而為一。在 2019 年的今天來看，社群媒體、電動遊戲、直播、網紅經濟及共建共享的資訊平台等，都是他預言的實現。尼葛洛龐帝教授也認為，計算已經不再只是和電腦有關，計算是和生活有關，也就是說，計算無所不在，計算就是一切。

回顧電腦的歷史，從 1940 年代開始發展具有初階計算能力的電腦以來，電腦角色的成長大致可以分為三個波段。第一波的成長在於建立電腦處理資料的能力；在硬體的部分，電腦運作效能不斷提升，包括體積愈來愈小，執行速度愈來愈快，記憶容量愈來愈大，價格愈來愈便宜等；在軟體的部分，從程式語言、作業系統、 使用者介面、資料庫、文書處理、到各種資訊系統的開發應用，持續進步普及，電腦成為工作場域管理資料的重要工具。第二波的成長在於建構全球資料傳輸的基礎設施，網際網路與大量的電腦共同形塑了一個嶄新的數位世界，各式資料大量生產、快速流動，各種加值應用與服務不斷推出，連結的概念與網絡的意涵達到一種新的境界，數位時空成為人類文明演化的全新場域。第三波的成長將以智能化的啟動為主軸，以人工智慧技術的發展，建立電腦能與人類匹配的判斷決策能力與功能服務品質。未來將是一個人與無所不在的電腦以夥伴關係，共同存在、 共同工作、共同創作的世界。

在電腦計算能量的推波助瀾之下，人類世界變化的速度已經加快，

例如，Google 與 Facebook 從發想實踐到改變全球人類生活，只需短短二十年。各種破壞性創新經濟模式，例如住宿服務市場的 Airbnb 及載客服務市場的 Uber，不斷擴大數位經濟的版圖。各種透過資料與計算產生勞力或專業服務的應用，如掃地機器人、自動駕駛車輛、即時翻譯機等，開始出現在一般人的生活場景。各種計算驅動的產品服務與經濟市場將持續推陳出新，大幅度的改造人類社會的樣貌。我們正面臨一個世界即將產生巨大變化的關鍵時刻，計算驅動力量所帶來的改變將深入到社會的各個層面，影響到每一個人的工作與生活方式。2013 年牛津大學的報告指出：2023～2033 年間，機器人將取代 50% 的人類工作。2015 年專業研究機構麥肯錫報告指出：當今科技發展已可取代 45% 的人類工作。英國智庫也提出警訊：英國公家機關的 25 萬行政人員將在十五年內失業。

　　未來的世界將由更廣泛的數位元素堆疊組成，日益強大的數位能量也將無可迴避的大幅改變未來大學圖書館的內涵與形貌，因此，大學圖書館必須及早啟動各種創新改革，以數位人文與數位創新為發展主軸，並全面導入計算思維，協助圖書館工作人員建立對未來數位世界的基本認知框架，進而與原本的專業領域結合，設計各種智慧化與人性化的資訊服務功能，帶來各種創新應用想像。在未來的新世界當中，人腦與計算機器將更深入的互動合作，數位運用能力將成為各專業領域發展的新

關鍵。因此，大學圖書館必須勇敢的迎向數位浪潮，以消極面而言，圖書館必須建立不至於被取代的服務內容與專業能力。在計算框架的擴大發展之下，規律性的、能依照可被陳述的邏輯執行的工作將逐漸被取代。計算思維的導入將協助圖書館工作人員從固定的、制式的工作內容與業務流程，轉換銜接到更具開創性的數位應用工作類型。而在積極面，圖書館可以擴大推動計算思維的深度應用，釋放改變圖書館樣貌的視野與能力，鼓勵更多工作人員主動參與數位人文與數位創新的發展，進而主導大學圖書館的創新設計，創造精彩的改變。大學圖書館的未來期許，將是一個新型態數位資訊服務的設計者、平台打造者與經營者，也是一個開創知識經濟與知識產業的領導者。

國家圖書館出版品預行編目（CIP）資料

大學圖書館的創新思維 / 劉吉軒著. -- 初版. --
臺北市：遠流, 2019.12
面；　公分
ISBN 978-957-32-8675-2（平裝）

1. 大學圖書館　2. 圖書館管理

024.7　　　　　　　　　　　　108018450

大學圖書館的創新思維

作者：劉吉軒
總策劃：國立政治大學創新與創造力研究中心
統籌：劉吉軒
執行主編：曾淑正
美術編輯：邱銳致
行銷企劃：葉玫玉

發行人：王榮文
出版發行：遠流出版事業股份有限公司
地址：台北市南昌路二段81號6樓
劃撥帳號：0189456-1
電話：（02）23926899
傳真：（02）23926658

著作權顧問：蕭雄淋律師
2019年12月　初版一刷
售價：新台幣350元

ISBN 978-957-32-8675-2（平裝）
GPN 1010801976

YLib 遠流博識網 http://www.ylib.com
E-mail: ylib@ylib.com

本書為教育部補助國立政治大學邁向頂尖大學計畫成果，
著作財產權歸國立政治大學所有